《降魔舞》 III

恶魔往生

光 牙 著

作家出版社

目录

卷一　桃源魔境

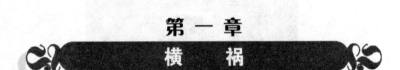

第一章
横　祸

正午灼人的阳光撒在柏油路面上，腾起一层层扭摆不定的热浪。

月炎大厦里的温度凉爽宜人，这当然要归功于不停运转的中央空调。

大门打开，柳月随着一阵热风冲进来，满脸都是兴奋，大声道："各位，好消息！"

龙飞放下手中的书，笑道："什么消息？难道是买的彩票中大奖了？"

宁汝馨摇摇尾巴，不屑道："怎么可能……"刚说到这里，忽然发现柳月站在那里发愣，讶然道："难道真的中奖了？"

"嗯！"柳月使劲点点头，"前一段时间一家旅行社到我们学校去做问卷调查，然后进行抽奖，我被抽中了！"

"哦，我正在奇怪已经放暑假了，你们老师怎么会打电话叫你到学校去。"龙飞似乎来了兴趣，"奖品是什么？"

"三人张家界双飞六日游，后天一早就出发！"柳月毫不掩饰心中的喜悦，"我早就想去张家界玩了！正好这段时间月炎和你们都在休假，咱们一起去！等小剑回来，他一定会很高兴吧？不过只能去三个人……"

龙飞拍了拍脑袋，道："对了，其实小剑刚才已经回来了，说要回家一趟，收拾了一下东西然后就急匆匆地走了。"

柳月愕然道："他怎么忽然想起来回家去了？"

"他没说原因，不过我猜可能是因为家里发生了什么要紧的事情。我问他什么时候回来，他说如果可能的话会尽快回来。"宁汝馨从沙发上跳到地下，"他的表姐来接他，就是那个东方云秀，龙飞在新港市见过她。"

柳月点点头,她听龙飞和东方剑讲述新港市发生的事情时听说过这个人。虽然柳月有点失望,不过这也是无可奈何的事情,道:"这样的话,咱们就不管他了。你们两个快去收拾东西,准备出发!张家界,我来了!"说着高兴地跳起来,冲进自己的房间里去了。

龙飞忽然问宁汝馨道:"你去过那里么?"

"张家界?我从来没去过。"宁汝馨觉得有些奇怪,"你问这个干什么?"

"我在想如果你去过的话,说不定在那里有几个妖怪朋友,可以顺便去跟他们打个招呼。"

宁汝馨幽幽地叹了口气,"其实在遇见月炎之前,我甚至都很少离开居住的那片山林,所认识的妖怪也都是像熊姨那样看着我长大的长辈,根本没有可以称为'朋友'的。"

龙飞唏嘘道:"那你不是太孤独了?"

宁汝馨淡淡道:"还好,在我修成人形之前,就习惯这种孤独了。"

"好!"龙飞忽然大叫道:"就这么定了!"

宁汝馨被他弄得莫名其妙,道:"什么?"

"如果这次出去见到年轻英俊而且法力高强的妖怪帅哥,就带回来给你做老公好了!"

宁汝馨哭笑不得:"谁说我要找妖怪做老公?"

"难道你喜欢人类老公?那就简单多了,随便到哪里发个征婚启事都能招来一两个团的候选人让你挑!"

宁汝馨狐疑地瞪着龙飞:"怎么你好像急着要把我嫁出去一样?"

"俗话说男大当婚,女大当嫁,还说年少不嫁人,老大徒伤悲!适龄妖怪的婚姻问题当然要作为头等大事来抓!"龙飞居然把这番奇谈怪论说得理直气壮。

宁汝馨"呸"了一声:"你又不是我爹娘,用不着你来操心!"转身走出几步,忽然又回头道:"傻瓜!"加快脚步跑回自己房间里。

剩下龙飞在客厅里,他又拿起刚才在看的那本书,书名是《妖怪风俗概述》。翻了几页,龙飞忽然叹了口气,自言自语道:"这上面说狐狸出嫁的时候会下太阳雨,不知道是不是真的?"

刚进候机大厅,就听到有人高声喊道:"柳月,这边!"

循声望去,柳月看到一个和她年龄差不多的女孩正在向她招手。她应该是高一六班的陶安娜，另外一名幸运儿。因为不同班，柳月还是在昨天第一次知道陶安娜这个名字。陶安娜长得不算漂亮，当然也不算难看，学习成绩在中游水平，总之就是一个非常普通的高中女生。站在旁边的那两个中年男女应该就是她的父母，不过他们脸上的表情都很冷漠，与陶安娜兴奋的表情形成鲜明的对比。

柳月向他们走过去，一个导游模样的女人迎上来，微笑道："柳月小姐是吗？"她手里举着一面小旗，上面写着"逍遥游"。

柳月点头道："是我。"说着把学生证和邀请函拿出来递过去。

导游看了看柳月的证件，道："这些都没问题，不过你的监护人呢？"

"他们很快就来。"

导游点点头，把柳月领到座位上，然后又去招呼其他客人了。这个旅行团并不只是由抽奖的幸运者组成的，还有不少付费参加的客人，总数大概三十多人。

陶安娜走过来在柳月身边坐下，对她热情地微笑道："我叫陶安娜，是六班的！"

柳月有些奇怪："你认识我？"

"当然了，你可是学校里的名人！学习好，体育又棒，还会魔法！我们班不少人都以你为偶像呢！想不到我竟然能和你一起去张家界，真是太好了！"

柳月心中只有苦笑，除了学习之外，其他"名声"大概都是月炎帮她赚下的。

这时宁汝馨和龙飞出现在候机大厅门口，宁汝馨超凡绝伦的美丽立刻吸引了不少羡慕的目光。她身边的龙飞则是一脸苦相，好像被人欠钱不还的债主一样。

等他们走过来，柳月问道："怎么处理的？"

龙飞叹气道："没收了，说是暂时代为保管，回来的时候再去领回。"

"你把证件给他们看了？"

"看了。不过他们说即使是妖魔猎人，也不能带枪上飞机！"刚才在通过安检的时候，龙飞带在身上的沙漠之鹰引来警铃一阵暴响。虽然好话说了一箩筐，机场方面还是没让他把手枪带进候机大厅。

陶安娜好奇地问柳月："他们是谁？"

"这位是我的表姐宁汝馨，那个是我的表哥龙飞。她是我同学，叫陶安娜。"

"你们好!"陶安娜很有礼貌地向龙飞和宁汝馨打了个招呼,然后好奇道:"你们是妖魔猎人?"对于普通人来说,妖魔猎人只是传说中的人物,连存在与否都不一定。

"安娜,到妈妈这里来!"不知道为什么,陶安娜母亲的声音里带着些许怒气。

听到母亲的声音,陶安娜神色一黯,不过立刻就恢复了平常的神态,低声道:"对不起了!"这才转身走回母亲身边。

这时导游小姐走过来,向宁汝馨和龙飞点点头,然后对月炎道:"你们学校的周罡同学和他的家人到现在还没来,你知道是怎么回事吗?"

柳月摇头道:"不知道,他是高二的,我根本不认识他。"

导游遗憾道:"十分钟之后就要开始登机了,如果到时候他还没到的话,我就只好当作他放弃这次旅行的机会了。"

这时一个大男孩急匆匆跑过来,"对不起,我迟到了!"他的个子不高,带着一副金边眼镜,斯斯文文的样子。

看过周罡的学生证和邀请函,导游问道:"你的监护人呢?"

一个三十多岁的中年人走过来,把手放在周罡肩上,对导游皮笑肉不笑道:"我们就是。我是这孩子的堂叔周万良,这位是我的妻子李梅。"他指着旁边那个年轻女子,"因为他的父母工作比较忙,所以委托我们来陪他。"

导游点点头表示认可,然后举起小旗,提高声音道:"请大家过来集合,我们马上就要登机了!"

趁着集合时的忙乱,宁汝馨低声对龙飞道:"那个叫周罡的男孩子,似乎有点不太对劲,他好像在害怕什么。"

龙飞耸耸肩,"大概是害怕坐飞机吧!"

宁汝馨想想也有点道理,这时有两个小青年过来搭讪,把他们打发掉之后,宁汝馨就把这件事忘了。

他们的旅行团一共是三十二人,除了柳月学校的九人之外,其他的都是付费参加的普通游客。导游的名字是蒋锦华,看起来是个相当干练的女人,不过就算是最高级的化妆品也不能完全掩饰时间在她脸上留下的痕迹,显然她已经青春不在了。

所有人在座位上坐好之后,漂亮的空姐微笑着提醒每一个人系好安全带。

引擎轰鸣声中,飞机从跑道上腾空而起,飞向天空。

柳月和陶安娜已经变成相当熟的朋友了，正巧她们的座位靠近舷窗，于是两个小姑娘就从舷窗里向下指指点点。

"看啊，那是我们学校！"

"那个是游泳馆！"

陶安娜的父母皱起眉头，似乎不太满意女儿的言行，不过并没有说什么。周罡低头坐在座位上，那两个"监护人"坐在他旁边，都显得格外沉默。

起飞一个多小时之后，柳月她们渐渐失去了刚开始的新鲜感，同时也感到有点累了，就在座位上闭目养神。

宁汝馨注意到龙飞似乎有点紧张，关心地问道："你怎么了？哪里不舒服？"

龙飞摇摇头，"有点头晕……"

宁汝馨很是奇怪，"我怎么不知道你会晕机？"龙飞以前乘坐过不止一次飞机，宁汝馨从来没听他说自己会晕机。

漂亮的空中小姐走过来问道："这位先生，有什么我可以帮忙的吗？"

龙飞立刻精神起来，嬉皮笑脸道："啊，如果你能让我亲一下的话……"

空中小姐一点也不生气，笑道："你的女朋友似乎很不高兴呢！"

"纠正一下，我不是这个白痴的'女朋友'！"宁汝馨冷冷道，"如果你想让他亲，就请便吧！"

龙飞笑道："开个玩笑活跃一下气氛，何必这么当真嘛！"

"反正跟我无关，'表哥'！"说完之后宁汝馨闭上眼睛再不说话。龙飞现在的身份是柳月和宁汝馨的"表哥"，这是昨天柳月作出的安排。

空中小姐笑了笑，转身离开。

宁汝馨这才睁开眼睛，看着龙飞讽刺道："好啊，刚出门就开始骗小姑娘了？"

龙飞叹了口气，道："不知道有没有桃花运，反正眼前的暴风雨运是跑不了了！"

宁汝馨一愣："暴风雨？"向窗外看去，只见层层叠叠的铅黑色乌云，一条条耀目的电蛇穿行其中。刚才还是一片晴空，怎么突然就乌云满天了？

扩音器里传来机长的声音："各位乘客请注意，本机将要进入热带气旋中，机身将会有一些颠簸，请大家不要惊慌，立刻回到座位上扣紧安全带!"同时空中小姐们也行动起来,把几个趴在舷窗上看风景的小乘客送回座位,并帮他们系好安全带。

"咔嚓!"一道电蛇从舷窗外一划而过,机舱里被照得雪亮。整个机身猛地一颤,舱顶的灯光闪了两下随即熄灭,机舱里变得漆黑一片。一时间,惊恐喊叫声响成一片。

刚才那个空中小姐站在通道上,用扩音器喊道:"请大家不要慌!不会有事……啊!"机身又是一震,机头猛地上抬,她站立不稳,惊叫声中向下摔倒。

横里一条手臂伸出来揽住她的纤腰,将她紧紧抱住。等空中小姐反应过来,发现自己正坐在龙飞腿上,不禁脸上一红,急忙道:"谢谢!"挣扎着想站起来,忽然机身又是一震,她脚下一软,重重坐回龙飞身上,"对、对不起!"

龙飞揽住她的腰,低声道:"太危险了,就这样别动!"空姐红着脸点点头,没有作声。

"狐狸,你能不能让这些人冷静一点?"龙飞喊了一句,却没有听到回答,"狐狸?"回头一看,宁汝馨正蜷缩在座椅上,脸上都是惊恐的表情。龙飞这才想起来,宁汝馨对打雷闪电有一种本能的恐惧,现在没有变回原形已经很不容易了。

叹了口气,龙飞伸手抱住宁汝馨瑟瑟发抖的身子,让她靠在自己身边。宁汝馨根本无力挣开龙飞的手,而且她也不想离开这个给自己安全感的臂弯。"好吧,即使是和别人分享也没关系……"她在心中默默地对自己说。

机舱里一片混乱,一些没有固定好的零碎东西在空中飞来飞去,惊叫声和呼唤名字的声音交织成一片疯狂的交响乐。

龙飞大声喊道:"柳月,你还好吧?"一片嘈杂中,他的声音还是让人听得清清楚楚。

柳月大声道:"我不知道!"

"那就行了!"接着龙飞大声道:"所有人听着,不要再尖叫或者说话,否则可能会咬到舌头!"这句话果然有效,机舱里一下子变得安静了许多,大家都咬紧牙关,生怕不小心把自己这吃饭必备的家伙丢在这几万米的高空里。

飞机在乌云闪电中穿行,机舱中不时被闪电照得亮如白昼。几乎所有人的心都提到嗓子眼,心中不停地向如来佛祖、玉皇大帝、观音菩萨、基督耶稣、真主安拉虔诚祈祷,赌咒许愿如果活着回去一定要造桥修路、帮老助幼、资助失学儿童,同时发誓再也不坐飞机、飞艇、宇宙飞船等等一切会飞的东西了!

不知道过了多久,人们发现雷电闪过的频率逐渐慢了下来,同时机身颠簸的幅度也渐渐小了,当舱顶的灯光再次亮起时,所有人不自觉都长长地松了一口气。

扩音器里传来机长激动的声音:"大家听着,我们已经离开气旋的活跃范围了!"机舱里爆发出一阵雷鸣般的欢呼:"好啊!""太棒了!""我们活下来了!"因为系着安全带,人们只能和身边的人分享自己的喜悦,不过这似乎并不能影响他们劫后余生的热情,许多人抱着刚才还素昧平生的邻座喜极而泣,用这种无声的语言感叹着生命的美好。

惊魂初定之后,坐在龙飞身上的那个空姐立刻意识到自己的责任,急忙想站起来,却发现龙飞的手还是紧搂着她的腰,粉脸一下涨得通红,低声道:"放开我好吗?"

"不行。"龙飞拒绝得相当干脆。宁汝馨看不过去,在龙飞手臂上轻轻咬了一口,小声道:"你也该占够便宜了吧?"

龙飞脸色凝重,眼睛看着前方空中的虚无,沉声道:"还没有结束!"

忽然有人发出一声惊呼:"看啊,那是什么?!"

接着靠近机翼的乘客纷纷叫起来:"怪物!有个妖怪在机翼上!""这边也有!还不止一个!""天啊,那是什么东西?"惊呼声此起彼伏。

宁汝馨惊讶道:"有妖怪?"她和龙飞的座位离驾驶室很近,从窗户里看不到机翼上的情景。

这时"轰"的一声爆炸传来,机身猛地颤动一下。

"发动机!发动机冒火了!""那些妖怪在破坏发动机!谁、谁快去阻止它们!不然我们大家都完了!"

话音未落,飞机忽然开始向右倾斜,几乎和水平面成了四十五度角。机舱里再次响起一片慌张失措的惊叫声。

驾驶舱的门被猛地打开,一个人连滚带爬地冲出来,他穿的是飞行员的制服。

龙飞怀里的那个空姐离驾驶舱最近,这时急忙问道:"发生了什么事?"

"驾驶舱里有妖……"还没等那个飞行员把话说完,机头忽然向下一沉,猝不及防之下,他的后脑撞在驾驶舱的门框上,立刻晕了过去。

情急之下,空姐回头向龙飞喊道:"放开我!我要过去!"

龙飞笑道:"既然是妖怪的事情,还是交给专家吧!"还没等空姐反应过来,他已经解开自己的安全带站起来,然后把那个空姐按到自己的座位上,随手把安全带扣好。

"我和你一起去!"说着,宁汝馨也离开座位,抢在龙飞前面冲进驾驶舱。

驾驶室里一片混乱,一个飞行员坐在他的座位上,已经昏迷不醒。一个黑影样的怪物正在挥手猛砸驾驶台,它看起来似乎并不是实体,可是那条影子般的手臂每挥动一下都砸起一团火花。

龙飞还有闲情吹了声口哨:"这是什么妖怪?"

听到人声,那个怪物转过身,向他们猛扑过来。

"狐焰青流!"

空中腾起一团青白色的火焰,将那个怪物包在里面,转眼间火焰熄灭,那个怪物也消失不见。

那个空姐赶进来,刚好看到怪物被火焰烧尽的一幕,骇然道:"那是什么?"接着看到昏迷不醒的飞行员,发出一声惊呼:"飞机!谁来开飞机?!"现在这架飞机的正负驾驶员全都昏迷不醒,这可是一件非常严重的事情!

宁汝馨道:"你不会开飞机吗?"

空姐急得眼看就要哭出来:"怎么可能!"

"好了,女士们请先让一让!"说着,龙飞走上去把昏迷的飞行员从他的位置上搬下来,然后自己坐了上去,双手握住操纵杆,稳稳地向后拉起来。很快,机身的晃动逐渐平稳下来。

不只是那位空姐,连宁汝馨都很惊讶,"我从来不知道你还会开飞机!"

龙飞一边操纵飞机,还不忘得意道:"你是说航天飞机吗?"

这时又是几声爆炸从机翼上传来,接着飞机机身猛地一沉。不用看高度表,所有人都能感到他们正在飞速下降。

龙飞脸色一变,"坏了,机翼上那些怪物把所有发动机都破坏了!"

宁汝馨道:"你能开一架没有动力的飞机吗?"

"没问题!"龙飞居然还是很自信,"当作滑翔机开不就行了?"然后对那个空中小姐喊道:"嘿,姑娘!"

"我叫朱琪琪!"

"好,琪琪!你去让后面的人准备一下,我们大概很快就要着陆,而且着陆的过程可能稍微颠簸一点!"

"好!"朱琪琪拿起墙上的麦克风,深吸一口气,然后用平静的声音道:"各位乘客,本机即将紧急迫降,请大家在座位上双手抱头,然后将上身尽量伏低,把头放在两腿之间。请不要慌张,我们会保证大家的安全!"

龙飞大声道:"说得不错!狐狸,还有琪琪,你们也照做吧!"

宁汝馨道:"那你呢?"

"嘿!"龙飞居然还笑得出来,"我要开飞机啊!"此时从飞机前方看出去,已经能看到地面上连绵不绝的树林,而且越来越清晰。

"你要小心啊!"说完之后,朱琪琪拉起宁汝馨回到客舱,坐在座位上,按照刚才她说的双手抱头,然后把头埋在两腿之间。宁汝馨也学着她的样子低下头。

机舱里一片寂静,所有人都在惊恐万分地等待着着陆的那一瞬间,就像是等待宣判的囚徒。有几个精神比较脆弱的人甚至已经晕了过去,这对他们来说倒是一种不错的解脱。朱琪琪忽然用只有她们两人才能听到的声音道:"喂,你真的不是他的女朋友吧?"宁汝馨一愣,随即道:"不是!""那真是太好了……"

"嘭!"宣判的时刻到了……

第二章
雨　林

飞机庞大的躯体静静地躺在一片翠绿中,机身还算完整,不过两翼早已折断,碎片散落,和零乱的断枝残茎混成一片狼藉,从中很容易想象降落时惊心动魄的情景。

"太棒了,简直是完美的迫降!"站在残破的机身旁,机长一手捂着受伤的额头,另一只手使劲拍着龙飞的肩膀,"你一定当过试飞员,是不是?"能当试飞员的飞行员都是最优秀的,所以这句话可算是对龙飞飞行技术的最高肯定。

龙飞笑道:"不是。"

这时宁汝馨从上面跳下来,"我四处检查过,没有看到那些怪物的踪影,大概是降落的时候被甩掉了。"

"对了,妖怪!"机长回忆起自己被袭击的那一幕,脸上露出恐惧的神色,"它突然就出现在驾驶舱里——那个妖怪现在在哪里?"

宁汝馨道:"如果你指的是把你打晕的那个怪物,已经被我烧成灰了。事实上,它们比我想象的还要弱。"

机长目瞪口呆,过了一会才道:"你们到底是什么人?"

龙飞笑道:"我们是妖魔猎人,不过目前正在休假中。"

"怪不得!"机长喃喃自语,他显然听说过妖魔猎人的存在,知道他们所拥有的超凡能力。

这时空中小姐的领班跑过来,道:"机长,所有乘客都已经疏散完毕了!"

"伤亡情况呢?"

"没有死者。不过几乎所有人都受了伤,虽然大多是皮外伤,但也有五位骨折的乘客,我们已经给伤者做过紧急处理,暂时情况应该不会恶化。"她自己的头上就包着一圈绷带,上面渗出鲜红的血,"不过药品和绷带都已经所剩无几了。"

机长道:"没关系,我这就去发求救信号,救援队应该很快就到了!"说完顺着逃生梯爬回飞机上去了。

空姐领班看着龙飞,道:"你就是那个开飞机完成这次迫降的人?"

龙飞笑道:"是我,其实这也没什么。"

空姐领班忽然弯腰向他鞠了一躬,"谢谢!我代表这架飞机上所有人谢谢你!"

龙飞连忙道:"不用这么客气!我只不过做了应该做的,根本谈不上感谢什么的。"

宁汝馨忽然道:"他的意思是说,如果有姑娘要报答救命之恩,最好是来献上香吻,那样他就满意了!"

龙飞一愣:"什么?"

空姐领班笑了,"要献吻的姑娘也不是没有,不过我这个老太婆就免了吧!"看起来她大概在四十岁左右,确切地说应该是位"空嫂"才对。

因为要去照顾受伤的乘客,领班又说了几句话就离开了。这时那些受伤较轻的乘客已经合力在飞机留下的痕迹中清出一块地来,作为临时的营地。

领班走后,龙飞问宁汝馨道:"柳月没受到什么惊吓吧?"

"她没受伤,而且精神也不错。不管怎么说,她也是月炎的姐妹啊!不过她那个叫陶安娜的同学似乎受到很大的惊吓,到现在还没有开口说话。我在她身上施了一个镇静安神的小法术,柳月正和她在一起。"

龙飞点点头,道:"刚才你说的'香吻'是怎么回事?我不记得我这么说过。"

宁汝馨沉下脸色,道:"这不是你希望的吗?飞机上说过的,难道你已经忘了?"

龙飞哭笑不得,"我说过那是开玩笑的吧?为了缓和一下气氛。"

"有些人可不这么认为。哦,献吻的来了!我就不在这里碍事了,你随便吧!"说完转身走开,消失在茂密的树丛后面。

宁汝馨消失之后,朱琪琪出现在另一边,低着头向龙飞走过来,"你好……"

龙飞笑道:"是琪琪啊! 有事吗?"

朱琪琪还是没有抬头,低声道:"其他人让我来问你的名字……"

"哦,我叫龙飞,降龙十八掌的龙,天外飞仙的飞。"从这个古怪的介绍就知道,这家伙最近看了不少武侠小说。

"我知道了,谢谢!"话音未落,朱琪琪转身就跑,好像有只怪兽在后面追她一样。不过她的脚步倒是相当轻盈,在这藤蔓遍地的森林里也能跑得小鹿般飞快,让龙飞颇为意外。

转眼间朱琪琪已经跑得踪影不见,龙飞叹了口气,道:"狐狸,出来吧,尾巴都露出来了,小心被人踩到!"

宁汝馨红着脸从树丛后面走出来,刚才她的确是变成狐形躲在树丛后面,没想到却被龙飞发现了。

龙飞倒是没说什么,只是叹气道:"所以我说吧,桃花运哪有这么容易就碰上?"

宁汝馨撇撇嘴,"看来你很失望?"

龙飞笑道:"稍微有那么一点。"

这时机长从救生梯上滑下来,看起来脸色相当沉重,走过来对龙飞道:"无线电装置好像坏了,我刚才试着和机场控制中心联系,可是没有一点回音。不过我们还可以试试用电话求救,乘客里面应该有不少人带着手机吧?"

结果找到乘客一问,才知从刚才开始所有带手机的人都在试着打电话给家人报平安,可是无论 GSM、GPRS 还是 CDMA,甚至连周罡表叔身上带的卫星电话都接受不到任何信号!

"这里是什么地方?"惊魂稍定之后,这个问题成了所有人心头徘徊不去的阴影。飞机上的全球卫星定位系统同样接收不到任何信号,当然也就不能确定他们所在的位置。几个乘客拿出随身携带的指南针想确定方向,却发现表盘的指针像发疯了一样飞快旋转,只好放弃了这个想法。

乘客们选出几个代表,找到机长问道:"我们现在在哪里?"

机长对乘客们疑问都是这样回答的:"根据飞行纪录,我们现在的位置应该是在湖北省境内,不过经过那场暴风雨之后有没有偏离航线就不知道了。"

这个答案显然不能让人满意,"我们还要在这里等多久?!""什么时候能到武汉?!""我的儿子还在等我去参加他的婚礼啊!"从劫后余生的喜悦中冷静下来之后，未知的命运又摆在所有人面前，让他们感到不安和恐惧。

机长急忙安抚乘客们激动的情绪："大家不用担心，机场一定已经发现我们出事了，很快就会派出救援队，说不定明天早上我们就在武汉吃早饭了！"

他的话显然没收到什么效果，乘客们的情绪反而变得更加激动："什么！还要到明天?!""今天晚上怎么办？""你是说让我们在这荒山野岭过夜吗？"

机长神色郑重点点头："恐怕是这样了。从飞机上我们可以得到足够的材料，食物应该也够两三天吃的。"

"可是这里不是原始森林吗？晚上说不定会有猛兽跑出来！"说这句话的是柳月旅行团的导游，她虽然经常带客人在张家界旅游，可是也从没这样深入雨林的腹地过。

"野兽都是怕火的，所以最好的办法就是生一堆旺盛的篝火，所以请你们回去动员所有能动的人，从现在开始收集木柴，越多越好！"

在这种非常时刻，能被人命令其实也是件不错的事情，因为这就意味着有人会为你的生存负责。所以虽然那些乘客们都在嘟囔着，"等回去之后，我一定要投诉！""你们要赔偿我的损失！"却都乖乖地按照机长的安排去做。

忙碌中的时间总是过得飞快，而且雨林里的黑夜总是降临得特别早。当他们的营地刚刚初具规模的时候，黑暗已经在归鸟的喧嚣中降临了。

收集木柴的工作倒是进行得很顺利，因为这里到处都是树，而且刚刚被飞机"砍伐"过。他们很快就架好了一大六小七个柴堆，还有数量相当的备用木柴。不过点燃这些柴堆的时候却遇到一点麻烦，因为湿气太重，最后不得不从飞机油箱里抽出柴油洒在柴堆上助燃，这才把火点起来。

最高的火堆足有两米多高，火焰腾空而起，蒸腾的热浪让附近的空气变得有些扭曲。六个小火堆在周围排成一圈，每个火堆之间又用柴火连接起来，组成一道燃烧的火墙，作为保护营地的屏障，只留下一个半米左右的缺口作为出入口。这样排列的火堆也更容易让在空中搜索的飞机发现——如果有飞机来搜索的话。

夜色渐深，丛林中的鸟兽虫豸开始用它们的吼声演奏一曲复杂的交响乐,其中不时有几个高低音"歌唱家"让火圈里的听众们心跳加速一下。

火圈里的人分成几堆,不过都很少说话,大家都在担心自己未知的命运,没有交谈的心情。

不过凡事总有例外,比如说龙飞的心情看来就不错,"这应该叫篝火晚会吧?为什么没有人表演节目?"

柳月和宁汝馨与他相处久了,倒不觉得怎样,周围的其他人却显然是对龙飞"处乱不惊"的态度不怎么欣赏,都用一种奇怪的眼神看着他。

龙飞却好像一无所觉,打了个哈欠,又对宁汝馨道:"狐狸,跟我跳个舞吧!"

宁汝馨干脆地拒绝了:"不跳。"

龙飞却不想放弃,笑道:"有什么关系?反正闲着也是闲着!"说着就去拉宁汝馨的手。

坐在旁边的陶安娜父亲陶骏看不过去,冷冷道:"真是胡闹!你不知道现在是什么情况吗?"

"什么情况?"龙飞放开宁汝馨,笑道:"反正我们本来就是去张家界旅游,现在这里大概也和我们要去的地方差不多吧?既然是旅游,当然就应该玩个痛快了!"经他这么一说,其他人觉得也似乎有点道理,不过还是很难像他那样洒脱。

这时机长巡查过来,"大家都没什么事吧?"他手里提着一支发射信号弹的信号枪,为的是在看到有飞机经过的时候可以立刻发求救信号,另外在必要的时候,这把枪也可以当作有一定杀伤力的武器来使用。

陶安娜担心道:"那些野兽会不会冲进来?"她的精神好了点,不过看起来还是有些萎靡不振。

柳月道:"没关系,野兽都是怕火的,它们不会靠近这里!"

她的话没什么效果,陶安娜反而越来越紧张,不安道:"那妖怪呢?就像是在飞机上看到的,它们怕火吗?"

她父亲陶骏毫不客气地打断她,呵斥道:"胡说什么!根本没有什么妖怪,飞机上看到的那些东西只是带电的云团!"

龙飞在旁边好像恍然大悟一样拍拍脑袋,道:"哦,原来是这样!"

陶骏不理他,对陶安娜道:"无论什么时候,爸爸都会保护你!所以,你一定要选择和爸爸在一起!"

陶安娜的母亲立刻道:"不行!安娜是我的女儿,她要和我一起!"

"难道她就不是我的女儿了?"

陶安娜猛地站起来,用带着哭腔的声音大喊道:"你们别吵了!"说完捂着脸从火堆中间的空隙里跑了出去。

这下她的父母都慌了手脚,大声叫道:"外面危险,快回来!"

越过火焰,可以看到陶安娜走了没几步就停了下来,这让她的父母稍微放下一点心。不过他们马上就惊恐地发现,一只通体漆黑的四足动物从树丛里钻出来,不紧不慢地向陶安娜走过来,两只散发着血红色光芒的眼睛在黑暗的背景下格外醒目。

陶安娜的母亲发出一声惨叫:"是狼!安娜快回来!"陶安娜却一动不动,好像吓傻了一样。

陶骏就要冲出去把陶安娜拉回来,却被人一把抓住,回头一看,抓住他的正是龙飞,愤怒道:"你干什么!"

龙飞一指:"仔细看看!"

陶骏怒道:"看什……"他的话没说完就没了声音,因为他看到一只接一只的黑狼从树丛里走出来,不过它们好像根本没看到陶安娜,而是慢慢向火堆这边走过来,在离火堆不到两米的地方停下来。黑狼越聚越多,很快就变成足有二十多只一大群,红色的眼睛透过火焰盯着里面的人们。

"它们好像根本不怕火!"机长对从小学老师就开始灌输的"野兽怕火"这个常识的信念开始动摇了,"大家别乱,都到这边来!"他们的人数并不比那些狼少。一般来说,狼会判断对手的实力,不会主动去攻击人群。

宁汝馨道:"我去把那孩子带回来!"

龙飞拉住她,"还是我去吧!"一伸手把机长手里的信号枪拿在手里,"这个借我用用!"说完举步向陶安娜走去。

刚走出火圈的范围,就有两头黑狼一左一右向他扑上来。龙飞右手探出,闪电般捏住右边那头黑狼的脖子,然后将它的身体横里一抡,正砸在左边那头黑狼身上,两只狼一齐摔了出去。

几步抢到还呆站在那里的陶安娜身边,龙飞二话不说将她拦腰抱起扛在肩上。这时四五头黑狼向他扑过来,把龙飞的返回火圈里的通路完全封死,张牙舞爪得要把两人一起撕成碎片。

龙飞猛地发力,向相反的方向冲出一步,这才突然转身,举起信号枪对着紧随其后的黑狼扣下扳机。

巨响中，一颗耀眼的红色火球从枪口激射而出，打在狼群中间的地面上之后又弹起到半空。

那些黑狼好像是被这突然出现的声光特效吓了一跳，一下子僵在那里。趁着这个机会，龙飞扛着陶安娜三闪两闪穿过狼群，回到火圈范围之内。

陶安娜的母亲冲上来从龙飞手里接过自己的女儿，将她紧紧抱在怀里，哭着道："谢谢小兄弟！你真是我们娘俩的救命恩人！"

陶骏似乎有些尴尬，犹豫一下还是走过来对龙飞道："谢谢你救了我的女儿！"

龙飞笑着耸耸肩，道："没什么。"

柳月拍拍胸口，松了口气，道："刚才真是太危险了！小宁……啊！表姐，你能让那些狼离开吗？"

宁汝馨道："如果是真狼的话，我倒是可以和它们谈谈。不过对这些家伙，恐怕就不是说话能解决的了。"

柳月愕然道："难道这些不是狼？"

龙飞道："没有什么野兽的眼睛在晚上会发红光的，对不对？"

机长一直在旁边听着，这时忍不住骇然道："难道说它们是……"

"怪物。"宁汝馨把他的话接下去，"如果我的感觉没错，它们和飞机上出现的那些怪物属于同一个类型。"

机长忍不住呻吟一声："这是诅咒吗?!"

宁汝馨道："不知道，但我想这些怪物出现在这里肯定是有原因的。"

陶安娜的母亲抬起头，惊恐道："我们都会被杀吗？"

"当然不会！"机长又恢复了镇定，指着龙飞大声道："他会保护我们不受妖魔的伤害！"他的话是说给所有人听的。

大多数人都对这句话心存疑虑，"他是什么人？"

"妖魔猎人，我和她都是。"龙飞指了指宁汝馨，然后笑道："对付妖魔鬼怪，我们算是专家！"

第 三 章
圣 女

人们议论纷纷,"妖魔猎人? 那是什么?""大概和电影里的道士差不多吧? 就是林正英演的那种鬼片!""可靠吗? 不会是骗子吧!""肯定是骗子,你看那姑娘娇滴滴的样子,能对付得了妖怪?"看着龙飞和宁汝馨的目光里都满是不信任的眼神。

这时一个人冲出来,对乘客们大声喊道:"大家听着,在飞机上就是他们打败了妖怪,才救了我们大家! 不然我们早就在飞机坠毁的时候死了!"正是那个叫朱琪琪的空中小姐。

乘客们显然是刚知道这件事,"原来是这样!""我就说我看到的那个东西就是妖怪!""那小伙子说不定真有点本事!"朱琪琪身上的空姐制服显然让她的话更有说服力。经她这么一说,乘客们对龙飞的信任感增加了不少。

龙飞拍拍朱琪琪的肩膀,笑道:"谢谢,琪琪。"

朱琪琪脸上微微一红,"我只是把真相告诉大家罢了!"

机长焦急道:"现在该怎么办?"刚才龙飞把陶安娜带回火圈范围内,那些黑狼乱了一阵之后又恢复了平静,都蹲在离火圈不远的地方排成个弧形的阵势,血红的眼睛虎视眈眈地盯着火圈里的人们。

"它们好像在等什么,也许是等我们都睡着?"龙飞忽然叹了口气,"如果我的枪在这里,现在倒是打靶的好机会!"

机长急忙问道:"你有枪? 在哪里?"

龙飞耸耸肩:"被扣在机场了。"机长这才想起来乘客是不能带枪登机的。

宁汝馨冷冷道:"这里我来处理,你看着就行!"说着转身向那些黑狼的方向走去。

龙飞追上去问道:"你有把握?"

宁汝馨根本不理他,径直走到火圈内侧才停下来。其他人都屏住呼吸,紧张地看着她的一举一动。

其他人的惊呼声中,宁汝馨抬起右手伸进火焰中,用自己才能听见的声音低声道:"火之精灵,听吾号令,起舞于此。妖狐焰九曜!"

说时迟那时快,火焰中窜出九条火蛇,在空中盘旋几圈,凌空向那些黑狼猛扑下去。火蛇身躯扭动,转眼间已经把所有黑狼都卷了进去。一时之间,放眼看去只能看到一片翻腾的火柱。

龙飞大声赞叹道:"好酷的法术! 不过用得着做得这么夸张吗?"

宁汝馨横了他一眼,没好气地道:"我高兴,不行吗?"其实她也知道自己做得有些过火,不过现在她就好像有股闷气压在胸口,只有做点什么发泄一下才能舒服一点。攻击法术本来就不是宁汝馨的强项,现在这个"妖狐焰九曜"已经是她所能控制的极限。

其他人这才从目瞪口呆中回过神来,"看到了吗? 她是个真正的魔法师!""巫师! 女巫!""太可怕了!"

龙飞忽然皱眉道:"唔,看来你是对的……"

宁汝馨还没反应过来他指的是什么,就看到那些黑狼纷纷从火焰中跳出来,看起来没有受到半点伤害。其中两头落地之后转身又是猛地一跳,高高跃过火堆向宁汝馨扑下来。

"小心!"龙飞伸手抓住其中一头狼的尾巴,把它摔在地下,却已经来不及阻止另外那只。

一个拳头从旁边伸过来,打在剩下那头狼的脑袋侧面,宁汝馨听到一阵骨头碎裂的声音,就看到那头狼断线风筝一样飞出好远才落在地下,滚了几圈之后再也没能站起来。

一旁龙飞赞叹道:"身手不错,琪琪!"宁汝馨这才发现,把那头黑狼打飞的人居然是那个看起来有些瘦弱的空中小姐朱琪琪!

朱琪琪不好意思地笑了笑,"我曾经学过一点空手道。"嘴里说话手上也没闲着,拳风过处又有一头黑狼飞了出去。她的拳又准又狠,而且简洁实用没有半点花哨的动作,显然已经深谙空手道的精髓。

黑狼接连不断地跳进火圈,其中六只把龙飞、宁汝馨,还有朱琪琪三人围在中间,伏低身子作出攻击的姿态,却不发起攻击,像只是在威胁他们不要乱动。其他黑狼则绕过他们，向惊慌失措的人群猛扑过去。

机长手中的信号枪响了一声，不过这次那些黑狼不再害怕。就在机长手忙脚乱地装弹时，其中一头黑狼猛跳过去将他扑倒在地。

不知道是谁一声喊："快逃命啊！"吓呆了的人们这才如梦初醒，哭爹喊娘地四处奔逃。原本用来保护他们的火圈现在反而成了要命的屏障，使得他们只能在这个圈子里像没头苍蝇一样转来转去。转眼之间，已经有好几个人被黑狼扑倒在地。

"砰！"一声脆响划破混乱，响彻整个夜空——是枪声！

那些黑狼好像被这个声音吓傻了，同时呆在那里。

"砰砰！"又是接连两声枪响。

黑狼忽然同时发出一声低吼，"呜……嗷！"包括围着龙飞他们那六只，所有黑狼转身夹起尾巴就跑。不过它们好像突然变得很怕火，在火圈中左冲右突，就是不敢靠近那些熊熊燃烧的烈焰，有几只狼大概是被吓昏了头，竟然直冲进中央的大火堆里。惨叫声中，令人作呕的焦臭味在空气中弥漫开来。

"砰！"枪声再响，一头狼的脑袋被子弹轰开，鲜血、脑浆和零零碎碎的骨头撒得到处都是。

一个人提着手枪，走过去在狼尸上踹了一脚，骂道："该死的畜生，竟然敢咬老子，也不看看老子是谁！"宁汝馨记得这个人，他是柳月学校周罡的表叔周万良。他的脸上满是鲜血，面目狰狞如同厉鬼一般，手中的枪口还在冒着青烟。

这时那些狼终于找到火墙上的缺口，纷纷逃了出去，转眼间就消失在茂密的树林里，只剩下它们凄惨的嗥叫还在夜空中回荡。

所有人都松了一口气，"得救了！"紧绷的神经一下子松弛下来，有些人干脆坐在地上，抱头大哭起来。

不少人在这次袭击中受了伤，幸好都不算严重。那些狼进攻的时候来势汹汹，溃败的时候更是莫名其妙，让人摸不着头脑。

机长从地上爬起来，拍拍身上的泥土。他背上被狼爪子划开一道口子，不停向外渗出鲜血。一个空中小姐急忙走过来给他包扎。

朱琪琪忙着赶去照顾伤者，龙飞来到周万良跟前，问道："你怎么会带着枪？"

周万良挑衅似地向龙飞举了举手里的枪，枪口指着龙飞，狞笑道："你有什么意见吗？"

龙飞笑道："我没有什么别的意思,只是想问问你是怎么带枪通过安检的,下次也好学着点。"

周万良将信将疑地看着龙飞,确定他不是在开玩笑之后,重重哼了一声,"我为什么要告诉你!"转身走回周罡身边。这个孩子现在正坐在地上,双手抱头缩成一团,他大概是想用这种方法来逃避残酷的现实。他的表姐李梅站在旁边,一脸冷漠地看着他,根本没有安慰他的意思。

宁汝馨走过来,俯身检查一下那具脑浆迸裂的狼尸,抬头低声对龙飞道:"过来看看,这些狼很不对劲!"

"怎么?"龙飞凑过来,"看起来很普通嘛!"

"就是因为太普通了!"宁汝馨没好气道,"你再仔细看看,和刚才有什么不同!"

龙飞挠挠头:"要说不同……体型好像小了点,毛色也淡了。"

宁汝馨点头道:"没错! 刚才明明浑身都是黑的,现在却变成灰色的了!"

柳月也走过来,听到这里问道:"这说明什么?"

"现在还不能确定,"宁汝馨露出思索的神情,"不过我认为那些狼一开始可能是被某种力量操纵了,所以才不怕火,连我的法术都对它们无可奈何;后来不知为什么这种力量消失了,它们才又变回普通的狼。"她指着地上的尸体,"就像这样。"

柳月只看了一眼狼尸,就别过头不敢再看,道:"我去看看安娜她怎么样了!"说完跑开了。

龙飞倒提起狼尸,"让它安息吧!"说完一抬手将尸体扔进火堆里,立刻一股难闻的焦臭味在空气中弥散开来。

这时几个人跑过来,来到宁汝馨面前"扑通"一声跪下,大声祈求道:"仙姑,仙姑! 您一定要救救我们啊!""一定要救救我们!"这些人都是中老年人,大概四五十岁的样子。

宁汝馨愕然道:"你们这是干什么? 我不是什么仙姑,你们快起来吧!"

龙飞在一旁煽风点火道:"嗯,她不是仙姑,是大仙!"

那几个跪拜的人恍然大悟,急忙改口道:"是! 大仙!""大仙救救我们!"跪拜得更加虔诚了。

宁汝馨哭笑不得,恨不得咬龙飞几口出气,不过现在只能对那些人道:"他跟你们开玩笑的,我也不是什么大仙! 你们快起来吧!"

"大仙不答应救我们脱离苦海，我们就不起来！""没错！""没错！"

这里的一幕吸引了越来越多人的注意，他们都停下手里的工作，凝神看着事情的发展。要是在以前，他们大概都会对这种求神拜佛行为嗤之以鼻，但是看过华丽炫目的法术之后，连他们都开始相信宁汝馨是不是神仙下凡了。

宁汝馨一时间不知道该怎么应付，回头正好看到龙飞在偷笑，更是气不打一处来，抓住龙飞走出两步离开跪拜的人们，这才咬牙低声道："都是你惹的祸！这下可好了，我们要怎么收场？"

"就这么演下去不就行了？你是大仙，我是你的跟班！"

宁汝馨："我不要干这种事情，要骗人你自己去吧！"

龙飞嬉皮笑脸道："可是我不是大仙啊！"

宁汝馨板起脸："我也不是！"

"你是狐狸啊！修炼成精的狐狸不就是大仙么？据说有些地方还有狐仙庙呢！"

"不干就是不干！我这就去跟他们说明白，我不是什么大仙，只是个普通人！"这就要转身。

龙飞急忙抓住她，收起笑脸，正色道："你如果真这么说的话，他们会很失望的。因为现在你就是他们的希望所在，只要你说一句话，就能给他们更多活下去的希望。"

"但这是欺骗！"

"White Lies，善意的谎言而已。"龙飞摆摆手，"为了让他们有活下去的希望，即使是说点谎也会得到原谅的吧？"

"你说'活下去'？"宁汝馨有些吃惊，"没有你说的这么危险吧？等明天救援的飞机就会来这里，带我们离开这个地方！"

龙飞缓缓摇头，"救援的飞机……你真的认为他们会来'这里'？"见宁汝馨露出疑惑的神情，龙飞继续道："刚才我去检查了一下飞机上的无线电，没有发现任何故障。"

"那很好啊，可以立刻向外面求援了！"

"没用，因为本来就不是因为机械的故障，而是无法收到信号——当然也没办法发送出去！"

宁汝馨愕然道："这是怎么回事？"

"我怀疑有某种力量在影响这个区域的电磁场，以及其他类似的东西。"龙飞看着宁汝馨，"你有没有感觉到什么？"

宁汝馨一愣,"这么说起来,刚才我的确曾经感到有些不舒服,就像是……莫名仙给我的感觉那样!"

"莫名仙?"龙飞想了想才记起来,"对了,就是那个看上别人老婆的家伙。嗯,既然你有这种感觉,怎么不早点告诉我?"

宁汝馨沉默一会,这才道:"我愿意!"

龙飞奇怪道:"从刚才开始你就不太对劲,好像在跟谁闹别扭一样!到底是谁惹你生气了? 告诉我,我找他算账去!"

宁汝馨板起脸,"谁说我生气了!"心中却幽幽叹口气,骂了一句"傻瓜"。

"那就好,"龙飞耸耸肩,没有再追问下去,"别的事先不管了,现在的首要问题是那些人。"指了指还跪着的一群人,"他们还在等着'大仙'的神谕呢!"

宁汝馨知道龙飞说得有道理。她曾经研究过人类心理学,发现在很多情况下,一个拥有希望的信念往往就是分开生存与死亡的界限,哪怕这个希望是虚假的也没有关系。

"好吧,"宁汝馨叹了口气,"我应该说什么?"

龙飞想了想,一拍巴掌:"对了,你就这么说:这一切都是至高神的考验,用来磨练他们的意志,而你就是至高神选中来指引他们的人! 嗯,先编这些就够了,如果有人提问,你就用'天机不可泄漏,日后自见分晓'来回答,保证百试百灵!"

宁汝馨惊讶地看着龙飞,"想不到你对这些事情倒是很在行!"

龙飞得意道:"这种拜神信教的事情我可是见得多了! 对了,还得给你想个气派的称号……'西天如来座下救苦救难大慈大悲霹雳无敌降魔圣女菩萨',怎么样?"

宁汝馨"扑哧"一声笑出来,"这么长的名字,太夸张了吧!"

龙飞正色道:"夸张有夸张的好处,一方面能给你的信徒更多信心,另一方面对那些心怀不轨者也是一种很好的震慑。"

"心怀不轨? 你指的是谁?"

龙飞努努嘴,"那个带枪的家伙。我刚才看过了,他的枪是经过改装的,可以避开机场的探测仪。虽然还不清楚他到底是干吗的,不过会带这种枪上飞机的总不会是'正义的朋友'吧?"

宁汝馨点点头,接着又摇摇头,"不管怎么说,我也不要用你说的那个称号! 如果离开这里之后,被别的妖怪知道了,让我以后可怎么有脸见人！"

龙飞挠头道："我倒觉得挺好的……要不然再加上'震天声威'或者'齐天大圣'？"

"不要！"宁汝馨拼命克制着自己咬这个白痴的冲动，"就叫'降魔圣女'好了！"

龙飞似乎颇为失望，"那我做你的跟班，称号不是就要更短了？"

"那你来做大仙，我做跟班！"

龙飞急忙摆手，"算了，短点就短点吧！我还是做跟班……唉，我就叫'护法神龙'好了！"

宁汝馨心想你给自己想出来的倒是好听，道："不过咱们得说清楚，这一切只是暂时的权宜之计。等离开这里之后，得把一切对他们说清楚！"

龙飞点头道："这个当然，不然你不就成邪教教主了？"

"还有，你绝对不能趁这个机会对那些小姑娘做坏事！"

龙飞一愣，随即坏坏一笑："你倒是提醒我了，不是有不少邪教都要求女信徒奉献贞操什么的？说不定咱们也可以试试！"

宁汝馨柳眉倒竖道："你敢？！"

这个"造神计划"相当成功，甚至出乎龙飞自己的预料。在宁汝馨"表演"过几个法术之后，几乎所有人都相信眼前这个仙女般美丽的女子正是"至高神"派来引领他们走出苦海的"降魔圣女"。在事后谈起这件事时，连柳月都说如果不是龙飞事先悄悄和她打过招呼，她说不定也会相信宁汝馨的话。毕竟在困境中寻找精神上依靠是人类的本能，从古到今莫不如是。

虽然宁汝馨说得很清楚，"至高神"面前人人平等，她和其他人并没有什么不同，可还是有不少人向她顶礼膜拜，这弄得她很不舒服。他们一直折腾到半夜才逐渐安静下来，在向"至高神"祈祷之后，纷纷钻进从飞机上拿下来的睡袋。经历了这样的一天，所有人都累得狠了，几乎是一躺下就接受了睡神热情的邀请。

龙飞坐在柴堆上，往火堆里扔了几根木柴，让篝火燃烧得更旺一些，好驱赶雨林夜晚的湿气。

宁汝馨轻轻走过来，"柳月已经睡着了。"

"你也睡吧。对于'圣女'来说，明天恐怕会是繁忙的一天，还是养足精神才好。"

"那你呢?"

龙飞笑道:"当然是在这里给圣女护法了,不然怎么做'护法神龙'?"

宁汝馨在他旁边坐下,"那我就在这里陪你。"

"真巧,琪琪也是这么说的! 嗯,要不然咱们再叫起一个人来,就可以凑一桌麻将了!"

宁汝馨站起来,冷冷道:"你和她慢慢玩,我就不打扰你们了!"说完转身就走。

看着宁汝馨婀娜的背影,龙飞笑着摇摇头。

"叔叔!"

回头看去,龙飞看到周罡正站在他身后不远的地方,脸上带着惊慌的神情。

龙飞板起脸道:"我看起来有那么老吗?"

周罡好像受了惊,急忙道:"对不起,我不知道……"

龙飞笑道:"我是开玩笑的,你有什么事?"

周罡没有说话,看他脸上的表情好像在犹豫该不该说,终于他似乎下定了决心,开口道:"其实我……"

"小罡,你在干什么?"他的叔叔周万良不知道从哪里走出来,"怎么还不去睡觉? 如果你的父母知道你现在这样,一定会伤心死的!"龙飞注意到他的右手放在裤子口袋里。

周罡浑身剧震,脸上的表情混杂着愤怒、恐惧和无奈,两眼含着泪花,默默走到周万良身边。

周万良将左手放在周罡肩上,对龙飞道:"对不起,这个孩子就是太调皮了。"

龙飞笑道:"小孩子都是这样,我小时候也是——而且现在也没怎么变。"

周万良没有再说什么,拉着周罡快步走了。

看着他们离开,龙飞自言自语道:"真是一次有趣的旅行……"

第四章
迷　乱

"事情的大概经过柳月在梦里已经对我说过了。"月炎很有些无奈，"我原本以为今天的行程是在张家界游山玩水，没想到却要在这样的深山老林里挣扎求存！"

宁汝馨歉然道："对不起……"

"你为什么要道歉？要道歉的应该是柳月！要不是她抽中那个该死的奖，我现在还在家里吃冰淇淋呢！"发了一阵火之后，月炎忽然叹了口气，"还是得想办法尽快离开这个鬼地方才行……对了，龙飞呢？他跑到哪里去了？"

"刚才还在这里，"宁汝馨看看周围，没看到龙飞的影子，"大概是去睡觉了吧，昨天晚上他在这里守了一夜，现在也应该累了。"说到这里，宁汝馨心中略感歉疚。刚才她看到刚睡醒的朱琪琪，得知龙飞昨天曾经对他们这些机组人员说当天晚上由他和宁汝馨值夜，其他人好好休息。宁汝馨这才明白，昨天龙飞是独自守了一个通宵。这个傻瓜为什么要这么干？如果他说实话，宁汝馨知道自己肯定会留下来陪他……至少是熬夜。

这时一个空姐走过来，对宁汝馨恭敬道："圣女大人，机长请您过去商量些事情。"

宁汝馨点头道："好，请他稍等一会，我这就来。"空姐转身走了。

月炎讶然道："你什么时候成'圣女大人'了？"看来柳月没来得及把一切都告诉她。

宁汝馨苦笑道："都是龙飞想出来的鬼点子！"把龙飞的"造神计划"

大概说了一遍，"……所以我就成了'降魔圣女'了。"

"真是个不错的主意！"月炎似乎很感兴趣，"我也要来凑热闹！"随即又摇摇头，"还是算了，这件事大概不是一天半天就能结束的，如果我也参加这个计划，到时候柳月恐怕应付不来……看来我还是老老实实地当一个普通高中女生吧！"言语中颇有些遗憾。

接下来宁汝馨找到机长，"有什么事情？"

"我们遇到麻烦了，圣女大人。"机长叹了口气，"我们的食物已经所剩无几了。因为是国内航线，飞机上带的食品本来就有限，在迫降的时候又损失了一些。昨天晚上吃过之后，剩下的大概只勉强够今天和明天的伙食。"

"也就是说，我们必须在今天之内找到食物，否则就要挨饿了？"

机长点点头："恐怕就是这样。"

"救援呢？"

机长露出痛苦的表情，"还没有……他们应该已经发现我们出事了，不过可能是因为飞机偏离了航线，给搜索工作增加了不少障碍。"

宁汝馨心想恐怕不是"偏离航线"这么简单，道："那么暂时我们只有靠自己了。不过在这森林里找食物应该不会太难。"宁汝馨想了想，继续道："等会我们把身体强壮的年轻人分成几个小组，每次派一组到附近去寻找食物。为了安全起见，每个小组都不要少于五个人……啊，对不起！"她对机长歉然道："还是应该由你来做出决定才对。"

机长连连摆手，"圣女怎么能这样说！您的话就是最高神的指示，我们只要听从就可以了！"

宁汝馨只能在心中报以苦笑，脸上还得装出一副坦然自信的表情。她现在就开始为离开之后怎么向其他人解释而担心了，心想他们不会向自己要求精神赔偿吧？

计划商定之后，机长带人去飞机上寻找看看有没有什么合适的工具。

宁汝馨正想去找龙飞，就看到他向这边走过来，嘴里还哼着不着调的小曲，看来心情不错。

看到宁汝馨，龙飞打个招呼："嗨，狐狸，昨天晚上睡得好吧？"

宁汝馨没有回答，反问："你刚才干吗去了？"

龙飞笑道："到处看看，散播至高神的福音！"

宁汝馨将信将疑，不知道这家伙又在玩什么花样，警告道："别做得太过火!"

"谨遵圣女的教诲!"虽然话是这么说,不过看龙飞嬉皮笑脸的样子实在没什么尊敬的意思,接下来的话更是露出了马脚:"今天玩什么?"

"玩?"宁汝馨哭笑不得,板起脸道:"你和我一起去找食物!"

"不行。"

宁汝馨佯怒道:"你还想偷懒不成?"

龙飞摇摇头:"我可以去,但是你要留在这里。"

"为什么?"

"当然是为了保护这些人,你也不希望柳月受伤吧?"

"你指的是那种怪物?它们应该不会在光天化日之下发起进攻吧!而且现在也不是柳月,而是月炎,她有足够的能力照顾自己。"

"不只是怪物,那个周万良也是个相当危险的家伙,一旦受到点刺激就说不定会干出什么事情来。"

宁汝馨知道他说的不错,道:"也许应该想办法把他的枪夺下来!"

"那得等到合适的机会才行,否则很可能会引来不必要的麻烦。而且把一支枪留在会使用它的人手上未必不是一件好事,就看怎么去引导他了。"

吃早饭的时候,机长忽然站起来向所有人大声道:"请大家静一下!"其他人都停下手中的事情,抬起头等着听他有什么话说。

"首先,我必须告诉大家,由于我们偏离了航线,而且无线电装置也损坏了,所以短时间之内,救援队恐怕无法及时达到这里。"

人群一片哗然,"那我们该怎么办?!""这不就死定了吗?""我要回家!"

龙飞在宁汝馨耳边低声道:"该你出场了!"

宁汝馨点点头,先暗中在人群里施了一个镇静心神小法术,然后站起来走到机长身边,道:"大家听我说!"

龙飞在一旁大声道:"安静,圣女要说话了!"他这个"护法"倒是干得很卖力。

人群安静下来,用虔诚或者疑惑的眼神看着宁汝馨。

宁汝馨用神圣的口吻缓缓道:"我知道大家现在的心情,因为我和你们一样,都想尽快离开这里!但是至高神曾经告诉我,现在还不是离开的时候。我们遭遇和即将遭遇的一切,都是至高神给我们的考验,如果我们拒绝或者逃避这个命运的话,必定会遭到最高神的抛弃。现在我们所能做的,只有正视自己的命运,用行动证明自己的价值,惟有这样才能得到至高神的垂青!"

有人站起来问道:"请问圣女,至高神说我们什么时候能离开这里?"

宁汝馨莫测高深道:"天机不可泄漏,时候一到自然就见分晓,时候不到求也无用!"

机长不失时机道:"就是这样! 我们很快就会获救,不过在这之前我们必须活下去!"

人们的情绪被激励起来,有人大声问道:"圣女,请指引我们,现在应该做什么?"

"请大家听从机长先生的安排。"说完走回龙飞身边坐下,用两人之间才能听到的声音抱怨道:"我都快成神棍了!"

龙飞低声窃笑道:"是神婆!"

那边机长道:"既然我们不知道还有多久才能获救,因此现在最需要的就是更多的食物。我们已经在附近找过了,可惜除了一点野菜之外没有别的东西。所以我们需要派人深入这片森林,去寻找可能存在的食物来源——当然如果能找到村落就更好了。这个任务可能很危险,但总是需要有人去做,"他的目光扫过所有人,"我们需要一个五人的小组,有没有人志愿参加?"

话音刚落,龙飞立刻站起来大声道:"我! 我要参加!"好像生怕别人会和他抢似的。

朱琪琪站起来,腼腆道:"我也去。"说着来到龙飞身边,低声道:"麻烦你了!"

龙飞笑道:"大家互相帮助!"

大多数人都很惊讶这样一个年轻漂亮的空姐会去做这么危险的任务,只有很少几个人才知道这个姑娘称得上"恐怖"的杀伤力。宁汝馨虽然感到不太高兴,也不得不承认除了自己之外,朱琪琪是去执行这个任务的最佳人选。

接下来是一阵沉默。面对充满未知的雨林,大多数人都会感到恐惧。"英雄还是让别人当去吧,我只要活命就好!"大多数人心中都是这个念头。

陶安娜的父亲,陶骏忽然站起来,沉声道:"算我一个。"

他的妻子抬头看着他,脸上带着惊愕的表情,"你这个人是不是疯了? 快坐下!"

陶骏不理她，一言不发地走到龙飞身边。

接着又有两个二十岁出头、大学生模样的年轻人自告奋勇加入了队伍，这样人就算全了。接受过宁汝馨的祝福之后，他们就在龙飞的带领下出发了。

森林里根本没有可以通行的道路，不过这难不倒龙飞。他挥舞着一把红色消防斧头（飞机上找到的），旋风般在茂密的绿色中开出一条路来。龙飞的"英勇"表现很快就让那两个年轻人就对他佩服得五体投地，几乎就要拜他为师。

交谈中龙飞知道这两个年轻人的名字分别是侯天粹和常湘良，他们都是龙飞住的那座城市里一所著名大学二年级的学生，因为都喜欢旅游而成了好朋友。这次他们原本是计划利用假期到憧憬已久的张家界旅游，没想到却遇到这样的事情。不过他们却并不太失望，因为能来到这样完全未经开发的热带雨林中的机会并不是可以经常遇到的。

走出大概一公里之后，他们发现了一片荔枝树林，树枝上挂满了熟透的荔枝。

龙飞走过去，摘下一颗荔枝剥掉皮放进嘴里，"味道不错！"

其他人也不甘落后，纷纷摘下荔枝尝了尝，"比超市里卖的强多了！"侯天粹和常湘良开始大把大把地摘荔枝，然后装进带来的背包里。

朱琪琪眉头略皱，道："我觉得有点奇怪……"

龙飞问道："什么奇怪了？"

"为什么没有野兽来吃这些果子？我是说猴子、野猪之类的，难道它们不喜欢吃这种东西？"

"对啊，是很奇怪！"侯天粹也道，"这么说起来，从刚才开始我们就没见到过一只野兽，连鸟都没有！在热带雨林里这实在有点不正常。"说着脸上露出一丝惧意，"难道是妖怪在作祟？"经过昨天的事情，他们很容易就想到这个上面。

常湘良也道："要不然就到这里吧？我看到那边还有不少香蕉和木瓜，应该够我们几天吃的了！"

"嗯，这样也好。"龙飞点点头，"你们就在这里采集一些水果，然后顺着刚才来的路回去就行。"

朱琪琪问道："那你呢？"

"我再向前走走，"龙飞挥了挥手中的斧头，"就这样吧！"

朱琪琪道："等等，我和你一起去！"

一直闷声不吭的陶骏忽然道:"我也去。"

侯天粹和常湘良犹豫一下,前者道:"这样的话,咱们就一起向前走好了,等会回来再采这里的东西!"

森林里湿热的空气让人很不舒服,又走了三四公里之后,他们都已经是汗流浃背。

龙飞挥手道:"就在这里休息吧!"

侯天粹和常湘良如释重负,"太好了……"他们一下坐倒在地上,然后把身上被树枝扯出无数孔洞的运动衫脱下来,露出结实的胸肌。

龙飞道:"肌肉不错!"

侯天粹得意地摆个健美的 POSE,"出门旅游没有充沛的体力怎么行?"

龙飞笑了,伸出舌头,舔舔嘴唇,做出一副饥饿的表情,"如果我是吃人怪物的话,肯定先挑你们两个,比较有嚼头!"

朱琪琪"扑哧"笑了出来,陶骏严肃的脸上也露出一丝笑容。侯天粹和常湘良也笑了,常湘良道:"龙哥不要开这种玩笑,我们哥俩的肌肉怎么能比上你的? 要是有妖怪找人吃,当然是先找你了!"虽然龙飞还穿着衣服,不过看他挥斧开路这么长时间还是活蹦乱跳的充沛精力,侯天粹和常湘良就自愧不如,甘拜下风。

龙飞把斧头靠在旁边的树上,双手合十,道:"阿弥陀佛! 如来佛祖投身饿虎割肉饲鹰,如果真有妖怪要吃,我就把这区区肉身投喂给它吧!"然后叹气道:"就恐怕我的肉太硬,它们的牙受不了!"其他人都被他的话逗乐了。

陶骏笑了两声,忽然皱起眉头,从怀里掏出一个小瓶倒出几颗药丸吞了下去。

龙飞看得清楚,对陶骏道:"你的心脏不好?"

陶骏"嗯"了一声。

朱琪琪道:"你应该留在飞机那里休息才对! 这种环境里进行大量运动,很容易让你的心脏病发作!"

陶骏笑了笑,不过笑容有些勉强,"没关系,我这是老毛病了。"

龙飞道:"你们一家人好像有什么问题?"

陶骏猛地抬起头,警惕地看着龙飞:"你怎么会知道的?"旋即变成苦笑,摇头道:"没错,在别人眼里应该很容易看出来吧? 我们只不过是在自欺欺人而已……"他好像下了什么决心,深吸一口气,用平静的口吻道："我们打算这次旅游回去就离婚。"

朱琪琪惊讶道："离婚？为什么？"

"她说再也无法忍受我这样窝囊的男人。"陶骏自嘲一笑，"从我们结婚的那一天开始，她就从来没看得起我过。她是局长的千金，我只是个农村来的穷小子，她嫁给我就像是给穷人的施舍。"他叹了口气，看起来似乎有些失神。

朱琪琪正要说什么，龙飞对她摆摆手，示意她不要说话。

陶骏继续道："我的确不是个成功的男人，我没有钱，更没有权，在单位里混了十几年还是个小科员，最后还被人优化下了岗，只能卖报纸赚两个小钱。因为她说怕邻居们看到我卖报纸给这个家丢人，非要我到城市另一端去卖，还要装出去单位上班的样子给别人看！可是她还是不满意，整天对我说，谁谁卖报纸也发了大财，像我这样的一辈子只能是个废物……这一切我都可以忍下来，可是我不能容忍她侮辱我的母亲！"他的表情相当激动，"那一天，我第一次跟她吵了起来，然后她提出离婚，我立刻就同意了。事实上，如果不是为了孩子，我们的婚姻大概早就结束了吧！我们打算第二天去办离婚，这时候安娜回家说了这次旅行的事情，看她这么高兴，我们都不忍心在这时候让她伤心，这才决定等这次旅行回去再离婚。"说到这里，他忽然好像醒过来一样，苦笑道："我为什么要对你们说这些？你们都还这么年轻，根本不可能明白我的感受！"

龙飞冷笑道："你所以会来到这里，也是为了得到你老婆的认同吧？如果能得到一个英雄一样轰轰烈烈的结局，那更是最好不过了！"

陶骏一愣，"我……不……"他没有说下去，因为他忽然发现，在自己心底最深处的确是这么想的，只不过他自己的内心不敢去正视这个"愿望"而已。

龙飞道："给你个忠告：一个连自己都看不起的男人，比一个被老婆看不起的男人更可悲！"

陶骏先是呆了一呆，接着开始细细咀嚼这句话中的意思。

龙飞却没有给他时间，大声道："休息好了吧？都给我起来，准备出发！"

"啊？这就要走？"侯天粹和常湘良不情愿地站起来，"龙哥，再休息一会好不好？"

走过陶骏身边的时候，朱琪琪忽然低声道："陶先生，我想你的太太当初会嫁给你，就说明她是爱你的，而爱情是不可能施舍的……对不起，我也不知道该怎么说,不过我认为你们应该找个机会,心平气和地沟通一下,而不是急着去离婚,更不要轻易放弃自己的生命。嗯,我想说的就是这些了。"说完加快脚步走了。

　　陶骏走在最后,若有所思地自言自语道:"沟通……吗?"

第五章
兔 子

侯天粹："兔子!"

常湘良："白兔!"

朱琪琪："好可爱!"

龙飞："肉!"

除了陶骏之外,大家几乎是同时发表了自己对眼前这只白色长耳短尾的小型啮齿类动物的第一观感。

那只白兔不知道是从哪里钻出来的,忽然跳到他们面前,用那双漆黑的大眼睛瞪着龙飞他们,似乎一点也不怕人。

常湘良自告奋勇："看我来抓住它!"说着就轻手轻脚地向兔子走过去,嘴里还不停地嘟囔道："好兔子! 乖兔子! 不要动……"来到离兔子两步远的地方,突然跳起来合身猛扑过去,动作间还真颇有点狮子搏兔的气势。

谁知道兔子的动作比他更快,后腿一蹬就蹿出两三米远,让常湘良扑了个空。那兔子也不逃跑,还是蹲在那里呆呆地看着龙飞他们。

常湘良咽不下这口气,"混账兔子,竟然敢嘲笑我!"爬起来就去追那只兔子。

兔子连蹦加跳,让常湘良抓不着它,却始终不离开他的视线。一逃一追,转眼间已经跑出好远。

侯天粹不满道："常弱怎么会这么没用,连只笨兔子都抓不到!"说着急步追上去帮忙。他和常湘良互相称对方为"常弱"和"侯弱",也不知道是什么意思。

龙飞低声自语道:"要是狐狸在这里就好了,她应该很会抓兔子吧……"

朱琪琪听到他的话,莫名其妙道:"你说什么?"

龙飞笑道:"没什……"

"啊!"一声惊呼打断了龙飞的话。

陶骏浑身一震,"是小常!他们出事了!"

朱琪琪急道:"我们快过去!"拔腿就向声音传来的方向跑去。

常湘良和侯天粹惊慌失措的声音不停传来:"来人啊,救命!""龙哥快来救我们!"

明明听到他们的声音就在附近,朱琪琪环顾四周却看不到半个人影,正在惊疑不定,忽然觉得脚下一空,身体猛地向下坠去。

惊慌之下,朱琪琪不由自主地闭上眼睛尖叫起来:"啊!"手腕突然一紧,接着一股大力从手臂上传来,下坠的势头随即止住。

等了几秒钟之后,朱琪琪才敢张开眼睛。现在她所在的地方光线很暗,好像有什么东西遮住了阳光。

龙飞的声音从上面传来:"嘿,你的体重是四十八公斤,没错吧?"

抬头看去,朱琪琪看到龙飞将上半身从一个洞口里探进来,伸手抓住自己的手腕。在不远的地方,有四条人腿在不停晃动。

心中一动,朱琪琪终于明白发生了什么事:这里是一处悬崖,要不然就是裂谷,或者类似的什么东西。年复一年,无数藤蔓植物在这里生长,密密麻麻的树藤在半空中编织成网,又覆盖上一层层的叶片,让这里看起来和地面没有任何区别——一个天然的陷阱!因为树藤粗细不同,分布也是有舒有密,所以这片"地面"各处所能承受的重量也不相同,而她显然是正巧踩到一处特别薄弱的地方掉了下来,多亏龙飞反应快伸手抓住她。

"你们都别动!"朱琪琪听到陶骏的声音从头顶上传来,"不要挣扎,尽量放松!然后把胳膊伸开,平放在树藤上面!"

朱琪琪看到树藤下面的腿停止了摆动,看来侯天粹和常湘良都按照陶骏的话做了。

陶骏的声音道:"龙飞,你还能坚持住吧?"一边说话,一边传来"哗哗"拉扯树藤的声音,"我这就把树藤扔给你,抓住!"

龙飞高声道:"先别扔给我!我这一片的藤条很脆,稍微一使劲就可能断掉,到时候你自己根本拉不住我们两个!"

"你抓到那姑娘了？"陶骏的声音里透出惊喜，"那我该怎么办？"

"你先把那两个家伙拉出去，然后再和他们一起拉我们！"

"好！小侯，你先来！"

侯天粹答应一声："好！"

接着朱琪琪看到侯天粹的双腿开始逐渐上升，看来他正在陶骏的帮助下向上爬。

头顶上的树藤传来一阵"咔嚓、咔嚓"的断裂声，声音并不大，对朱琪琪来说却好像是催命的钟声一般。

龙飞苦笑道："看来这地方撑不了多久了！"

"别这么说！"陶骏大声喊道，这时候天粹的双腿已经消失在盘根错节的树藤里，陶骏向他大吼道："快爬过来，慢点！不对，快点！"他很清楚在这片树藤上行动绝对急不得，否则很可能一脚踏空掉下去，可是现在的情况实在耽误不起一点时间，所以他说出来的话才会这样自相矛盾。

朱琪琪低声道："你放手吧！"

龙飞道："你会飞吗？会的话我就放手！"

"我不是开玩笑！"朱琪琪急得都快哭出来，"你这样抓着我，只能是和我一起掉下去！"

"那就掉下去好了！按照武侠小说的惯例，掉落山崖必有奇遇，什么武功秘籍遁世高人仙丹灵药不都在这种地方？说不定还有一大群美女正在等我，让我当个帮主教主掌门什么的……"龙飞不停地胡言乱语，却丝毫没有松手的意思。

那边侯天粹终于在陶骏的帮助下离开这个"陷阱"，连口气都来不及喘，他爬起来高喊道："常弱，你撑着点，我们先把龙哥他们拉上来！"

"我撑得住，你们先救他们！"虽然说得英勇，常湘良的声音却有些发颤。

侯天粹喊道："龙哥！我们这就扔树藤过去，把那个圈套在胳膊上！"陶骏把树藤扔到龙飞身边。

龙飞略微抬起上身，侧身伸手去抓树藤，随着他的动作，身下的树藤断裂的速度更快了。朱琪琪感到许多木屑碎枝落下来，不得不低下头闭上眼睛。

一片黑暗中，她只能听到上面传来侯天粹的惊呼："是那只兔子——不对，好多兔子！滚开，快滚开！"

"啊！"常湘良惨叫一声，"它们咬我！"

陶骏惊呼起来："这些兔子在咬树藤!"话音未落,就感到手上猛地一松,收势不及猛地向后摔过去,侯天粹也跟他一样。

顾不上疼痛,陶骏和侯天粹翻身爬起来。树藤上看不到龙飞的影子,侯天粹一下子慌了神:"龙哥呢?"

"他们掉下去了!"常湘良大声喊道,声音里带着哭腔,"你们快救我!"他使劲挥手驱赶着不停扑上来的兔子,手上脸上被咬出好几道口子,鲜血直流。因为动作太猛,再加上那些兔子不停地啃咬附近的树藤,眼看着他又往下陷了不少。

陶骏大吼一声:"别乱动! 我们来帮你!"拾起地上的半截树藤向常湘良挥去,树藤在空中发出"啪"地一声响,重重落在那些兔子身上,当场将其中两只抽飞出去。

侯天粹看得目瞪口呆,就听到陶骏对他吼道:"再去找根合适的树藤,快!"

侯天粹这才猛醒,急忙答应:"是!"心中惊异于这短短时间里发生在陶骏身上的变化。就在刚才,他还是个唠唠叨叨地哀叹生活不幸的普通到很有些懦弱的中年人,现在看上去却像一个正在冲锋陷阵的勇猛战士!

那半截树藤在陶骏手中就像是一根长鞭,不停地落在兔子身上,又准又狠。每次树藤挥出,必定有一两只兔子尖叫着飞出去。

侯天粹抱着一大堆树藤跑过来,顺便踢开几只兔子,"树藤来了!"

"你把他拉上来,我掩护你们!"

"好!"

干脆地答应下来,侯天粹试了好几次也没能将那轻飘飘的树藤扔到常湘良身边,惶急道:"我做不到!"

陶骏快抽几鞭,将常湘良周围的兔子逼开,劈手拿过侯天粹手中的树藤,熟练地在顶端打了个套,拿在手中荡了两圈,一松手将树藤抛了出去,正落在常湘良面前。常湘良急忙拉住树藤,将圈套套在自己手臂上。

侯天粹脱口而出赞叹道:"神了!"

陶骏将树藤的另一端塞到他手里,"把他拉上来!"

"看我的!"侯天粹也不含糊,手上使劲,一点点把常湘良从树藤中拉出来。陶骏在一旁将那些扑上来要啃树藤的兔子打飞出去。那些兔子吃了几次亏之后撇下常湘良,发疯般向陶骏和侯天粹扑过来。虽然他们很容易把这些发了狂的小动物踢开,但是兔子的数量实在太多,锋利的门牙转眼间就在他们身上撕开好几道血淋淋的伤口。

侯天粹忍着痛，咬着牙将树藤一点点拉过来。在他的帮助下，常湘良手脚并用，终于爬了出来。

"这些死兔子！"常湘良刚站起来，猛地伸手抓住一只兔子后腿，将它在空中抡了半圈，把它的脑袋重重撞在旁边的树干上，发出"砰"的一声巨响。

陶骏大声喊道："它们太多了！咱们快走！"

侯天粹急道："那龙哥他们怎么办？"

"现在咱们什么都做不了，回去叫人来再说！"陶骏挥动树藤，将扑上来的兔子抽开，"快走！"

侯天粹和常湘良也知道这里不可久留，于是一边击退源源不断冲上来的兔子，一边向来路退去。陶骏跟在他们后面，且战且退。

在雨林里穿行了不知多久，那些兔子终于没有追上来。陶骏他们终于松了口气，这才忽然发觉自己再也提不起半点力气，瘫坐在地下大口大口地喘着气。

陶骏喘着粗气道："咱们得快点回去叫人来帮忙救他们！"

侯天粹气喘吁吁道："马上……就去，等咱们……喘口气！"接着道："想不到大叔竟然是个深藏不露的高手，用树藤用得这么好！"

陶骏苦笑道："什么高手！只不过是以前在军马场当兵的时候，跟我们班长学了几手而已。"

侯天粹和常湘良都露出恍然大悟的表情，"难怪你会结绳套，鞭子又使得这么好！"

侯天粹苦笑道："如果我们对其他人说，我们被一大群兔子袭击了，他们会相信吗？"

常湘良道："如果不相信，就把这个给他们看看！"说着把手里的兔子尸体扬了扬。他刚才一直用手里这具兔子尸体当作"兵器"，打起兔子来居然也颇为顺手，所以就拿着没有扔掉。

陶骏忽然指着常湘良手里的兔子尸体，惊呼道："你们看！"

侯天粹立刻也发现了问题，"天！这只兔子的血是黑色的！"

"难道它们也是怪物？！"

"我们早该注意到的！"陶骏喃喃道，"白兔子的眼睛怎么会是黑色的！"

侯天粹莫名其妙道："这又有什么关系？"

"你们不知道吗？兔子的眼睛是由体内的色素决定的，所以黑兔子的眼睛就是黑色的，但是白兔子因为体内缺乏色素，所以眼睛就是血液的红色。而这些白兔子的眼睛都是黑的……"

常湘良把他的话接下去，"说明它们体内流的是黑色的血！"

侯天粹发出一声无力的呻吟，"又是一群怪物，龙哥他们怕是凶多吉少了！"

陶骏站起来，"所以现在我们必须赶快回去，把这件事告诉和他在一起的那个姑娘。不管她是降魔圣者还是妖魔猎人什么的，恐怕现在只有她能帮他了！"

当他们赶到营地的时候已经是傍晚时分。天还没黑，围绕营地的火圈却已经准备就绪，而且堆得比昨夜更高，这显然是所有人努力一天的结果。

不用多说，他们遍体鳞伤的狼狈模样就大概说明了今天的遭遇。

宁汝馨迎上来，惊疑不定地问道："你们这是怎么了？龙飞呢？"

三人神色黯然，侯天粹道："他和那个空姐一起掉进山谷里去了！"

宁汝馨一惊："在哪里？快带我去！"没等对方说话，她又接着道："算了，我自己去找！"话音未落，她已经蹿了出去，身影一闪就消失在茂密的雨林里。

越来越多的人围过来，机长问道："到底发生了什么事？还有，你手里提着的是什么？"后面这句话是对常湘良说的。

常湘良举起手里的东西，道："是兔……"忽然愣住了，因为他看到自己抓着的那具兔子尸体不知道什么时候已经发生了变化，原本柔润的白毛变得像枯草一样，腹部瘪下去，四肢的肌肉也变得硬邦邦得没有半点弹性，看起来根本不像死掉不久的"新鲜"尸体，而像是一具风干放置了数年的兔子木乃伊！

侯天粹也注意到这个变化，惊呼道："怎么会变成这样！"

陶骏道："先别管这个，我们必须去帮那个姑娘，天就要黑了，她根本不可能在森林里找到路！"

月炎道："不用担心，小……啊，宁姐姐肯定没问题的！如果你们去了，反而会给她添麻烦！"

侯天粹道："但是这个森林里有妖怪！太危险了！"

"对付妖怪正是她的工作啊！"也是我的工作——如果你们付钱的话！月炎只能在心里把这句话说完。因为有同学在这里，她必须尽量为柳月保持"女高中生"的形象。

陶安娜就在月炎身边,惊慌道:"又有妖怪来了?"

陶骏走过去轻轻抱住她,"不用担心,我的乖女儿。无论有什么妖魔鬼怪,爸爸都会保护你!"

机长问道:"你们又碰到那些怪狼了?"

常湘良举起手中的"木乃伊","不是狼,是兔子!"

第 六 章

桃　　源

模糊的黑暗、模糊的火光……难道这就是人死后看到的景象？

周围的景象渐渐清晰起来，朱琪琪忽然意识到：我还没有死！

身边不远的地方传来龙飞的声音："啊，你醒了？"

"唔……"朱琪琪答应着，支撑着身体想坐起来，"这是哪里……啊！"她忽然发现身上的制服已经不知去向，只剩下贴身的内衣，不禁惊叫起来。

龙飞出现在她面前，上身赤裸，狞笑道："省省力气吧，就算你叫破喉咙，也不会有人来救你的！"

朱琪琪没想到他会这么说，本能地向后瑟缩着，惊慌道："你、你想干什么！"

龙飞似乎很失望，道："你应该叫'破喉咙、破喉咙！'这样我才能继续说下去啊！"

朱琪琪被他弄糊涂了，莫名其妙道："你说什么？"

"《魔王和公主》啊！这么著名的东西都没听过？"见朱琪琪茫然摇头，龙飞失望地叹了口气，"那就算了，当我没说！"

朱琪琪看到不远处燃着一堆篝火，自己和龙飞的衣服都架在旁边，惊疑不定道："这到底是怎么回事？"

"咱们的运气不错，掉下来的时候落在一个水潭里，喏，"龙飞抬起手，"就是那里。"

向他所指的方向看去，朱琪琪隐约能看到一片平静的水面，"是你救了我？"

"当然是我，要不然还能是'破喉咙'？"

虽然不太明白龙飞说的话，不过朱琪琪知道是他又救了自己一次，低声道："那我的衣服……"

"在那边，就快干了。"

"我是说……你……我……那个……"朱琪琪的声音越来越低。

"对了，"龙飞好像忽然想起什么，"鱼应该烤好了！"跳起来跑到篝火旁边，从火堆里拽出几根长长的树枝，每根树枝上都穿着条一尺左右的鱼。烤鱼的香味在空气中弥散开来，令人垂涎欲滴。

朱琪琪终于下了结论：什么都没有发生，自己还是原来的那个自己。这应该是件值得庆幸的事情，可是她不知道为什么反而很有些失望。

调整一下心情，朱琪琪问道："这是什么地方？"

"就在那个'陷阱'下面，看起来似乎是个山谷。"

抬头向上看去，朱琪琪只看到一片无边的黑暗。因为被密密层层的树藤遮住，所以就算是正午，在这个山谷里大概也见不到一点阳光。

朱琪琪问道："只有你和我掉下来了？"

"对，看来他们三个的运气比咱们好。"

朱琪琪低声道："如果不是因为我，你也不会掉下来……"

龙飞笑道："所以我还得谢谢你，要不然我怎么会知道在下面还有这样一个地方？"

朱琪琪也笑了，又问道："我们掉下来多久了？"

"大概四个多小时了。如果没有什么意外，现在他们三个人应该已经回到飞机那里了。"

"他们会叫人来救我们吧？"

"肯定会，"龙飞把一条鱼递给朱琪琪，"如果我猜得没错，狐狸现在正往这边来。"

"狐狸？"

"哦，应该说是'圣女'才对！"

朱琪琪这才明白，恍然道："你指的是宁汝馨小姐？"

"就是她。"

"为什么叫她'狐狸'？"

龙飞讪笑道："外号，那是她的外号！"

朱琪琪并没有在这个问题上深究下去，轻轻叹了口气："她真漂亮，一定是天上仙女下凡的……"

龙飞笑道:"你也很漂亮!"

朱琪琪脸上一红:"谢谢!"在这种衣不蔽体的情况下被人这样称赞,大概并不是一件值得庆幸的事情,不过龙飞说得倒是很真诚,似乎并没有别的意思。

龙飞忽然低喝一声:"别动!"还没等朱琪琪反应过来,他忽然探身抓住她的手臂猛地一拉。

朱琪琪毫无防备,身体一下子失去了平衡,不由自主地冲到龙飞怀里。近距离闻着他身上的男子气息,让朱琪琪感到一阵眩晕。在这一瞬间,整个世界好像只剩下他们两个人一样。

一个青白色的火球从天而降,落在朱琪琪刚才坐的地方,"嘭"地一声炸开,燃起一团熊熊烈焰。

"抱歉,打扰你们的好事了,"宁汝馨的声音从上面传来,冷冷的不带一点感情,"我是不是应该等会再来?"

龙飞笑道:"你来得正是时候,快下来吧!"说着松手放开朱琪琪。

朱琪琪还是晕乎乎的,不清楚到底发生了什么事情。

一只通体雪白的小鸟扇着翅膀从上面飞下来落在地上,小鸟的身体发出柔和的白光。白光散尽,宁汝馨俏丽无双的身影出现在那里,冷冷地看着龙飞,道:"能不能给一个合理的解释?"

"还需要解释吗?"龙飞挠挠头,露出为难的表情,"你不是都看到了?"

宁汝馨的脸色变得更加难看,"哦,我知道了……"

朱琪琪稍微清醒了一点,回想起刚才的事情,惊恐地看着宁汝馨:"你……你想烧死我?"

宁汝馨轻轻哼了一声:"我才不会这么无聊!"

龙飞道:"刚才是'圣女'救了你,至少应该说声谢谢吧?"

朱琪琪将信将疑,向刚才自己坐的地方看去。那团青白色的火焰已经熄灭,留下一截烧得焦黑的三角形物体。不远的地方还有一条蛇——确切地说是半条,因为蛇头已经不见了。断口处相当整齐,好像是被什么锋利的东西划过一样。虽然没有了脑袋,这条蛇的身体还没立刻就死,到现在还在不停地剧烈扭动着,血液混杂着内脏从断口处喷出来,空气中弥漫着腥臭的气味。过了一会,这条蛇的尸体才渐渐僵硬不动了。

"谢谢你,救了我!"朱琪琪对宁汝馨道。她已经明白,刚才宁汝馨攻击的目标是这条毒蛇而非自己。龙飞也一定是发现了这条毒蛇,才突然把自己拉开的。

宁汝馨漠然道:"你不用谢我。"

龙飞笑道:"好了,'圣女大人'就别闹别扭了!快想办法把我们从这里弄出去!"

"没办法,我又不能带着你们飞。"

龙飞道:"你可以从上面放一根绳子下来,我们就可以爬上去了!"

"没用的,这里离上面的地面差不多有六十米高,现在到哪里去找这么长的绳子?就算用树藤也没有这么长,而且也不够结实。"说到这里,宁汝馨顿了顿,又道:"话说回来,你们从这么高的地方掉下来居然毫发无伤,倒真是够幸运的。"

朱琪琪抢着道:"我们掉在那个水潭里了,所以才要烤干衣服!"

宁汝馨看了看她,又看了看龙飞,面容稍霁,道:"我知道了。"一抬手,篝火中窜出几道火蛇,在龙飞和朱琪琪的衣服上盘旋几圈。

火蛇消失,宁汝馨把朱琪琪的衣服拿起来交给她,道:"已经干了,快穿上!"却不去理龙飞。

龙飞只有苦笑,自己拿起衣服穿在身上。

收拾整齐之后,朱琪琪问道:"我们该怎么离开这里?"对宁汝馨来说这并不是问题,她随时可以变成鸟飞走,但是朱琪琪却没这个本事。

龙飞道:"这个鬼地方像口井一样,周围都是悬崖,根本爬不上去!"

宁汝馨道:"刚才我下来的时候看到在对面有个缺口,好像是山溪的出口,也许从那里能走出去。"

龙飞一下子来了精神:"那咱们还等什么?这就过去看看吧!"

宁汝馨忽然做了个"噤声"的手势,低声道:"有人来了!"

朱琪琪惊讶道:"有人?难道是附近的村民?那么说可能这附近就有村庄!"这时她也看到了,黑暗中有个人影正在步履蹒跚地向这边走来,看起来像是喝醉了酒一样。

龙飞自告奋勇道:"我过去看看!"向那人迎上去,大声道:"哥们,你是住在这附近的人吗?"

那人好像根本没听到,摇摇晃晃地从龙飞身边走过去,对他视而不见。

龙飞伸手拉住那人的手腕,"嘿,你这是怎么了?"

朱琪琪听到"咔嚓"一声轻响,然后就看到那个人继续一步步向前走过来。龙飞站在那里,似乎愣住了。

奇幻四公子

这时那人已经走进火光的范围，可以看到那人身上穿的衣服已经破烂不堪，只能勉强看出他似乎是个少数民族。他的脸色白得可怕，还带着淡淡的青气，就像是刚从坟墓里爬出来的僵尸。

那人注意到宁汝馨和朱琪琪的存在，喉咙里发出野兽般的"嗬嗬"声，大叫一声："女人！女人！！"猛地加速向朱琪琪猛冲过来。

可惜他找错了目标。只见朱琪琪向旁边闪开一小步避开那人直伸过来的手，同时双手抓住那人前襟，接着转身低头突然发力，把那人背过肩头摔在地下。这一连串动作一气呵成，中间没有半点停顿。

那边的龙飞发出一声赞叹："好漂亮的过肩摔！"

宁汝馨道："不过，这好像是柔道的招数吧？"

朱琪琪点头道："是，我也学过一点柔道。"

这时被朱琪琪摔在地上的那人突然大叫一声，猛地抽搐两下，然后就再也不动了。

朱琪琪吓了一跳，惊慌失措道："他这是怎么了？难道是因为我……"

"跟你无关，是这家伙自己不行了。"龙飞把一块东西在手里抛起又接住，"我刚才就知道了。"

宁汝馨皱眉道："你拿的是什么？"

"那哥们留下来的零件，"说着龙飞把那块东西伸过来，赫然是一只皮包骨头的人手，断裂的手腕后面还连着几缕破布样的皮肉和一截白森森的骨头。

突然看到这样令人毛骨悚然的一只手，就连宁汝馨也不禁倒吸一口凉气，朱琪琪尖叫一声，回过头去不敢再看。

宁汝馨道："这是他的手？"说着低头向躺在地下的那个人看去，正好看到那人的身体就像个泄了气的皮球一样飞快地干瘪下去，转眼间就变成具包着一层皮的骷髅。

朱琪琪将眼睛张开一条缝，看到地上那具"皮包骷髅"，惊叫一声急忙又闭上眼睛，"这、这到底是怎么回事？"

"不知道，"宁汝馨神色凝重，"不过我想答案应该离这里不是太远……"忽然抬起手，一团火焰飞到那具骷髅身上，将它包裹在里面。

龙飞把那只断手扔进火里，装模作样地双手合十道："阿弥陀佛，往生极乐去吧！"又在胸前划了个十字，"阿门！"

转眼间骷髅已经烧成一堆白灰，宁汝馨将狐火熄灭，对朱琪琪道：

"已经好了,你睁开眼吧!"

朱琪琪睁开眼没看到骷髅,这才松了口气,心有余悸道:"太可怕了!一个人好好地怎么突然就变成这样了!"

"不知道。"宁汝馨缓缓摇头,"不过可以肯定的是,有些东西在这里——而且很可能是非常危险的东西!"

朱琪琪忍不住打了个哆嗦,"难道这里真的有妖怪?"

宁汝馨道:"或者是类似的东西!"

顺着那人来时留下的足迹,龙飞他们绕着水潭走了半圈,终于来到宁汝馨所说的那处峡谷外面。溪水就是从这里潺潺而出,然后流入尽头的水潭。

那人的足迹到这里就消失在溪水里。

龙飞道:"看来他是淌水过来的。"

"应该是,"宁汝馨表示同意,"刚才我看到那个人的裤子从裤腿一直湿到膝盖,不过褂子却是干的,所以他应该不是掉进水里,而是自己走进水里的。"看看溪水对岸,"那边没有他的足迹,说明他是顺着这条小溪走下来的。"

龙飞把手一挥,道:"来吧,让我们去看看这里面到底有什么!"

三人溯溪而上,穿过一条弯曲狭长的山谷之后,眼前的景色豁然开朗。一直覆盖在头顶的树藤忽然消失不见,久违的月光照在他们身上。月光下,他们看到在小溪旁是一片茂密的树林,每一棵树的枝头都开满了鲜花,柔和的夜风夹杂着甜美的香气吹拂在他们脸上。

此情此景让朱琪琪如痴如醉,不禁走上前去,从树上折下一根花枝拿在手里。放眼望去,忽然发出一声惊呼:"这些是——都是桃花!"

宁汝馨低声道:"武陵人,捕鱼为业,缘溪行,忘路之远近。忽逢桃花林,夹岸数百步,中无杂树,芳草鲜美,落英缤纷……"

龙飞笑道:"《桃花源记》,作者是陶渊明,柳月的语文课本上就有。"

宁汝馨道:"你不觉得这里和那上面说的桃花林很像吗?"

朱琪琪激动地喊起来:"难道我们找到了传说中的桃花源!"

宁汝馨摇头道:"不对,这是桃花林,而一般所说的桃花源应该指的是溪水尽头水源处的村落。"

"我们已经'甚异之'过了,接下来就该是'复前行,欲穷其林'了吧?"龙飞对这篇文章记得倒很清楚。

沿溪而上,两岸都是层层叠叠的桃花。花间信步,佳人同游,人面与桃花争艳。"这才有点像是旅游嘛!"龙飞如是说。

走了许久,小溪转了几个弯,龙飞他们还是没看到传说中的"桃花源",反倒是小溪两岸的桃树越来越茂密,花朵的颜色也逐渐由粉红变为鲜红,在月光的照耀下显得分外娇艳。

龙飞看了看表,"我们已经走了三个多小时了,今天就算了吧。在这里休息一下,明天早上再说!"

"这样也好,"宁汝馨点点头,"我回去告诉月炎和其他人,他们肯定正在担心你们。"顿了顿,又加上一句:"我很快就回来!"说完转身变成一只小鸟,振翅飞起到空中。

龙飞抬头向宁汝馨离开的方向大声喊道:"我要口香糖,记得拿来!"

看着宁汝馨飞上空中,朱琪琪脸上都是羡慕的神情:"要是我也能飞就好了!"

龙飞笑道:"你是空中小姐,不是经常在天上飞来飞去的? 从某种意义上来说,你应该就算是天上的仙女了。"

朱琪琪脸上一红,"宁汝馨小姐才是仙女,我算什么!"又问道:"你们两个都是妖魔猎人?"

龙飞点点头:"还有那个叫柳月炎的小姑娘,她也是。"

"那个小姑娘?"朱琪琪惊讶道,"她也是妖魔猎人?"

"哦,应该说有一半是……而且她还是我的'老板',我就是给她打工的。"

朱琪琪不可置信地摇摇头,"真看不出来,这么小的姑娘……她也会法术?"

龙飞正色道:"当然会,而且还很厉害! 如果你小看她的话,肯定会吃亏的!"

朱琪琪饶有兴趣地问道:"那你呢? 你会不会法术?"

龙飞大咧咧地摆手道:"那些东西太简单了,我都懒得去学!"

朱琪琪噗嗤一笑,"吹牛!"

龙飞耸耸肩,并没有反驳,岔开话题道:"你的功夫是跟谁学的?"

"是家父教我的。"

"原来是家传,"龙飞点点头,"他是个武术教练?"

"不,家父是个医生——中医。"

"辣手神医、杀人名医、摧花怪医……"龙飞脱口而出一连串吓人的名号,也不知道他是从哪里看到的,"嗯,由此可见,医生里面有不少深藏不露的高手!"

朱琪琪听得目瞪口呆,好一会才喃喃道:"家父不是什么高手,只是会点功夫而已……"

龙飞却不以为然,道:"有机会一定要去向他讨教一下!"

"小心被人打出来!"宁汝馨的声音传来,接着她变成的小鸟从上面飞下来,落在地上变成人形。

龙飞惊讶道:"这么快就回来了?"把手一伸,"口香糖!"

"啪!"宁汝馨在他手心里打了一下,板着脸道:"没有!"

朱琪琪问道:"其他人怎么样了?"

"我根本没回去,"宁汝馨带着担忧的神色,"我在空中转了好几圈,却怎么也找不到我们来的路!"

朱琪琪一愣,"我们不是沿着小溪走过来的?只要顺着小溪走下去,不就能离开了?"

宁汝馨道:"我原来也是这么想的,可是顺着小溪飞了一阵,忽然发现你们就在下面!"

龙飞一拍手:"难道这就是著名的'奇门遁甲阵'?就像东邪黄药师建在桃花岛上的一样——对了,那也是桃花林!"

宁汝馨神色凝重,"如果只是那样,对飞在空中的我应该不会有什么影响才对。不,应该是某种法术,虽然我感觉不到。"说到这里苦恼地摇着头。

朱琪琪有些害怕,道:"难道有妖怪要把我们困在这里?"

宁汝馨道:"或者是其他什么东西……"

朱琪琪看看左右茂密的桃林,总觉得里面好像有什么东西,心惊胆战道:"那我们该怎么办?"

龙飞把手一挥,嚷道:"当然是继续前进,把那个敢耍我们的家伙揪出来揍一顿!"

"但是到哪里去找……"

宁汝馨抬手一指,"刚才在天上的时候,我看到那边有一片亮光,好像是个村子,而且离这里好像不远。要过去看看吗?"

龙飞抬腿就走,"当然要去!"

按照宁汝馨指引的方向,他们继续沿溪而上。这次没走多久就看到一座小山丘,溪水就是从山上流下来的。月光下,隐约能看到山脚下有一座座房舍整齐地排列着。

"林尽水源，便得一山，山有良田美池桑竹之属，阡陌交通，鸡犬相闻。"宁汝馨低声念诵《桃花源记》中的几句，"看来我们真的找到传说中的桃花源了！"

可惜迎接他们的并不是"鸡犬相闻"，而是夜风中隐约传来的几声尖叫："杀了他！""杀了他！"

朱琪琪大吃一惊，道："有人要杀人！"

龙飞苦笑道："看来不管这里是不是真正的桃花源，反正不会是个太平的地方！"

宁汝馨道："快走，那人可能需要帮助！"说着就向声音传来的方向跑去。

"你是说杀人的还是被杀的需要帮助？"嘴里说话，龙飞的动作却不慢，紧跟在宁汝馨后面。

朱琪琪着急道："你们等等我！"向龙飞和宁汝馨追去，总算她的身手也不错，勉强能跟得上。

山脚下是一小片平整的广场，中央跪着一个身穿白衣的人，头发凌乱地披散着，让人看不清那人的脸，不过从纤细的身形上看来，应该是个女人。在跪着的人身边站着一个身材魁梧的壮汉，手中提着一把厚背鬼头大刀，看样子应该就是行刑的刽子手。在他们周围稀稀拉拉站着几个看客，其中大多数都是女的，只有两三个男人，"杀死他(或者是'她')！"的喊声就是他们发出来的。

一个女人大声道："子时已到，动手吧！"

得到命令，刽子手将大刀举过头顶，就在他将要挥刀砍下的时候，一块石头夹带着尖锐的破空之声飞过来，正砸在刀刃上，将那把厚重的鬼头刀磕飞出去。

那些人大吃一惊，喝问道："是谁?！"

"是我！"龙飞从黑暗中走出来，拦在跪着那人身前，正气凛然道："你们为什么要杀这个人？"

那些人并没有回答这个问题，而是纷纷交头接耳，"客人，是新的客人！""这不是比预定的还提前了？""那个男的好帅！""女的也不错，我要左边那个！""那我就要右边那个！"他们似乎并不在意龙飞打断他们"行刑"，反而对三人评头论足起来。

刚才命令动手的女人走过来，对龙飞抛个媚眼，还没说话先发出一阵银铃般的笑声，道："三位是怎么来到这里的？"虽然看起来已经三十多岁，她的容貌仍是极美，更有一种骚到骨头里的媚劲，很容易令人想入非非。

"顺着山溪走过来的！"龙飞道，"你们还没说为什么要杀这个人！"这时宁汝馨和朱琪琪已经把绑着那人的绳索松开，将她扶起来，宁汝馨低声道："没事了。"

女人叹了口气，"她犯了我们的家法，理当处死。"

朱琪琪大声道："家法？你以为现在还是秦朝吗？"

女人冷笑道："就算是在二十一世纪，她犯了家法也得死！"接着脸色一变，对龙飞媚笑道："三位既然能找到这里，就说明跟我们有缘。原本我们应该略备薄酒，为几位接风洗尘，不过现在时候已经不早，如果几位愿意的话，我可以给你们安排住处，如何？"

朱琪琪指着那个"犯人"问道："那她怎么办？"

"既然有贵客求情，她的命暂时就算保住了，一切等妈妈回来再说。"接着对旁边的人道："带这两位姑娘去安歇。"立刻有两个人走过来，"请！"

朱琪琪问道："那他呢？"这个"他"指的是龙飞。

"难道姑娘想和这位公子同宿？"

朱琪琪的脸一下子涨得通红，"不……不是！"

"那就行了，"女人挥手示意，有两个人领着朱琪琪和宁汝馨向村里走去。临走的时候，宁汝馨向龙飞投去一个意味深长的眼神，这才走了。

等她们离开之后，女人对龙飞道："那两个姑娘是公子的情人？"

龙飞笑道："哪有这么好运？她们都是我的朋友。"

女人也笑了，"既然只是朋友，那就更不用担心了。"凑到龙飞耳边，神秘道："长夜漫漫，恐怕孤枕难眠，公子要不要人陪伴？"

龙飞也低声道："你？"

"如果公子选我，那我当然高兴，不过就怕公子看不上我这个老太婆。"她轻轻一拍巴掌，几个人影从黑暗中走出来。她们看起来大概是十八九岁年纪，虽然都是千娇百媚的美女，却又各不相同，有的端庄秀丽，有的妖媚娇憨，个个都是能让人热血沸腾的尤物。

女人在龙飞耳边低声笑道："这些都是未经人事的雏儿，公子准备选哪个？"指着那几个围观死刑的女子，"那边的姑娘，公子要是看得上眼的话，也可以随便。"

龙飞道："谁都可以？"

女人笑道："当然！"

"这个还真有点难度啊！"龙飞挠挠头，"选谁好呢……"忽然指着那个呆呆站在那里的"犯人"，"嗯，我就选她吧！"

女人愣了一下，勉强笑道："公子怎么选那个残花败柳？看她这个样子，根本没法好好侍奉公子……"

龙飞把脸一沉："我就喜欢这样的，不可以吗？"

"当然可以，我只是担心……"

"那就行了！"龙飞打断她的话，"快点带我到睡觉的地方去，我已经快等不及了！"像他这样嚣张的"客人"实在不太多见。

"那么我这就派人带公子过去，然后让她打扮一下再过去。"

龙飞摆手道："不用打扮，我就喜欢这样的！"

这家伙一定是变态、虐待狂——难怪跟他来的那两个女人会看不上他！虽然心中这么想，那女人还是笑道："那请公子稍等，我有几句话对她说。"

龙飞不耐烦地摆摆手，"快点！"

走到那个女犯人身边，女人低声道："算你的运气好，那个傻小子居然非要你不可！这可是你将功赎罪的机会，如果你干得好，说不定我会在妈妈面前帮你求求情！"

女犯人大声尖叫道："我不要求情，你现在就把我杀了吧！"

女人冷笑道："没那么容易！"一挥手，立刻有两个壮汉走上来用绳索将那个女犯人捆起来，扛在肩上向村子里走去。

女人领着龙飞跟在后面，来到一处青砖瓦房外面。壮汉先进去把那女犯人扔在床上，然后退了出来。

女人对龙飞笑道："公子可以随便处置她，不用客气！"

"我就是这么想的，"龙飞邪邪一笑，"可以试试几种新玩法了！"

女人也笑了，"那么，明天早上再见！"说完退出去，在外面关上了门。

第七章
魔　境

造型古雅的烛台上燃着一对红烛，跳动的火苗发出昏黄幽暗的光。屋里的摆设以红色为主，很容易让人想起旧式婚礼中的"洞房"。

关上房门，龙飞走到宽大的雕花红木大床跟前，低头看着那个女犯人。

那女犯人被绳索绑着不能动弹，这时干脆把眼睛闭上，一声不吭。

过了好一会没什么动静，她不禁有些奇怪，将眼睛悄悄张开一条缝，正好碰到龙飞的目光，急忙又把眼睛闭上。

"虽然烤也不错，不过我还是比较喜欢红烧的兔子。"

女犯人浑身猛地一震，脱口而出道："你说什么?!"

"刚才不是说我可以随意处置你？我本来是想红烧的，不过这里没锅没灶也没有调料，要烧起来怕有点难度，所以还是烤吧……对了，用蜡烛烤兔子，大概也别有一番风味！"

"你……你一定是在开玩笑！"

龙飞阴阴一笑："你看我像在开玩笑吗？"

女犯人惊恐道："你到底想干什么?!"

"你不是很想死吗？反正都是死，不如死得比较有价值一点……"龙飞不知道从哪里摸出一把二寸来长的小刀，在她身上比划着，"不知道前腿和后腿的肉烤起来哪个比较好？"说着举刀挥下来。

女犯人大声尖叫道："不要!!"

刀光闪过，却没有血流出来。女犯人感到身上一松，使劲一抖，绑着她的绳子断成几截落下来。

龙飞收起小刀,微笑道:"看来你并不是那么想死啊!"

女犯人向后瑟缩着,两眼带着惊惧的眼神看着龙飞:"你到底是谁?"

"啊,忘记自我介绍了。"龙飞恍然大悟似的拍拍脑袋,"我是龙飞,'飞龙在天'头两个字倒过来就是。你叫什么?"

"白菱。"

龙飞点头道:"这么说,你们这一窝都是姓白了?"

"对……"白菱忽然意识到什么,带着惊异的表情,"你知道——"

"兔子——确切地说是兔子妖怪。"

白菱惊骇到了极点,缩到大床角里面,惊恐地看着龙飞,紧张道:"你怎么会知道的?"

"别害怕,不会真把你吃了的。"龙飞安慰似的摇摇头,微笑道:"我看到你们就知道是妖怪了。"

"那两个女的也知道?"

龙飞道:"女的? 哦,她们应该还不知道吧! 说起来你们的人化法术也算不错,水平稍差点还真看不出来!"

白菱的神色平静了一点,"我不知道你是什么人,不过你要是关心那两个女人的话,最好赶快去救她们,否则就晚了。"

龙飞一愣:"什么意思?"

"也许她们现在正被脱光了衣服吊起来,用蘸了辣椒水的鞭子抽……"

龙飞露出一个古怪的笑容,大概正在想象着白菱说的那个情景,"那倒是蛮有趣的……"接着脸色一沉,"这里是纳粹的集中营吗?"

"男人来到这里,他们会欲仙欲死;女人来到这里,就会生不如死!"

龙飞摇头道:"真是古怪的地方……"

白菱奇怪道:"你不担心她们?"

"我当然担心!"

白菱急切道:"那就去救她们啊! 我可以给你带路!"

龙飞笑道:"你是想借机开溜吧?"

白菱也不否认,点头道:"没错,我就是这么想的,只要你们能吸引开白蒂和其他人的注意力,我就可以趁机离开了。不过现在能帮你的只有我,而且你恐怕已经没有时间犹豫了。怎么样?"

龙飞苦笑摇头,"如果她们听到你这么说,说不定会后悔救了你!"

白菱脸上一红,"我只是想活下来而已!"顿了顿,急道:"如果等会妈妈回来,大家谁都跑不了!"

"妈妈? 那一定是只老兔子了……"

"你到底想不想去救她们?"

龙飞肯定道:"不想!"

白菱先是莫名其妙,然后冷笑道:"你害怕了?"

"别误会,"龙飞悠然道,"我担心的是去'伺候'她们的兔子。要知道她们可不像我这么好说话,那几个可怜的小东西能保住性命就不错了……"

白菱当然不相信他的话,"怎么可能!"

"你不相信?"龙飞笑了,"那咱们就在这里等,我想很快就会有人来'救'我了……"

话音未落,就听到外面响起宁汝馨焦急的声音:"龙飞! 你在里面吗?"

龙飞高声答道:"不在——啊!"惨叫一声。

随着"哐当"一声响,房门被从外面砸开,朱琪琪首先窜进来,看到龙飞好端端地站在那里,笑嘻嘻地看着她。

宁汝馨随后走进来,"你这家伙就喜欢装神弄鬼地吓人!"看看床上一脸惊讶的白菱,皱眉道:"这是怎么回事?"

龙飞道:"客房服务——而且是免费的! 你们那边应该也有吧?"

宁汝馨气不打一处来,"我们这么担心,你却在这里风流快活!"瞪着龙飞,脸色不善。

白菱忽然道:"你们……怎么逃出来的?"

龙飞也趁机岔开话题,"对啊,刚才发生了什么事? 你们遇到什么危险没有?"

朱琪琪道:"我们被带到一座房子里,忽然一群人拿着刀围上来,说要拿我们当作献给黄泉的祭品,还让我们……"她脸上一红,再也说不下去。

龙飞道:"还让你们脱光衣服,对不对?"

宁汝馨一愣:"你怎么知道?"

"我还知道他们要把你们吊起来用鞭子抽,蘸辣椒水的!"龙飞反手向床上的白菱一指,"她说的。"接着道:"然后呢?"

宁汝馨看看白菱,神色不善,这才道:"可惜那些人找错了对象,他们根本不是这位空中小姐的对手。"

龙飞问朱琪琪:"死了几个?"

宁汝馨替朱琪琪回答道:"两个锁骨粉碎性骨折,一个断了三分之一的肋骨,还有一个下巴碎了,另外三个都是胳膊或者腿断了。"

一边白菱听得目瞪口呆,喃喃道:"不可能……"

朱琪琪脸上带着奇怪的表情,道:"不过那些人被打倒之后都变成了兔子!我也不知道他们是不是死了……"语气中满是歉疚。

"所以我怀疑这里的人都是兔妖,"宁汝馨盯着白菱,"你也是吧?"

"没错!"白菱大声尖叫道,"我就是妖怪!你们要怎么处置我,随便吧!"

龙飞小声嘟囔一句:"这里的妖怪好像有受虐倾向,真是怪事……"

宁汝馨静静地看着白菱,忽然叹了口气,道:"生而为妖不是自己能够决定的,而且妖怪也并没有什么不好。不过你们现在做的事情就太过分了,无论对人类还是妖怪来说。"

白菱一声不吭。

宁汝馨又叹了口气,道:"咱们还是先离开这里吧!"

龙飞问白菱:"你要不要一起来?"

白菱沉默一会,好像下定了决心,一言不发地跟在龙飞后面。

原本宁静的小村里一片嘈杂,惊慌的呼叫声此起彼伏。

龙飞笑道:"看来你们做的事情已经被发现了!"

"正好,"宁汝馨道,"我们趁这个机会离开这里!"

一声娇笑传来:"这就想走了?"进村时看到的那个女人从黑暗中款款走来,"不知道是因为公子不太喜欢我们这里的服务呢,还是那个罪人伺候不周?"

朱琪琪大声道:"你们这是犯罪!"

女人收起笑容,冷冷地看着朱琪琪,"就是你伤了那些人?"

朱琪琪针锋相对地迎着她的目光,"我打的是妖怪,为民除害!"

"好大的胆子!"女人冷笑一声,"不过黄泉就喜欢这样的祭品!"说到这里,她忽然身形一闪来到朱琪琪身前,挥掌向她拍来,手上隐约带着一层变幻不定的蓝色光芒。

白菱尖叫一声:"小心!"

朱琪琪知道不妙,不敢碰到那只手,急忙向后一跳,在千钧一发之际躲开。即使如此,刺骨的寒风还是在她身边一掠而过,让她不由自主地打了个哆嗦,动作也慢了下来。

一条青白色的火舌从旁边拦腰卷向那个女人，是宁汝馨见势不妙出手相助。

女人"咦"了一声，伸手挥了一下。手上蓝光过处，空中出现一面若有若无的墙壁，挡在火舌前面。

"嘭"地一声响，墙壁和火舌同时化为乌有，只留下一片蒸腾的水汽。朱琪琪跟跟跄跄地退了几步这才勉强站住，还在不住地打着寒战。

女人并没有继续追击，停下来看着宁汝馨，"你是术士？这倒真是少见！"舔舔嘴唇，她露出一个残忍的笑容，"把你献给'黄泉'实在是太可惜了，你的心还是让我吃了吧！"

龙飞使劲摇摇头，似乎有什么事情想不通，道："兔子应该是吃素的吧？"

女人脸上浮现出一个妖媚而残忍的笑容，"你知道的倒是不少，可惜在你面前的不是普通的兔子，而是兔妖！"

龙飞笑道："巧得很，我们就是妖魔猎人，专门对付妖怪的！"

女人嗤笑一声："妖魔猎人就是道士或者和尚之类的术士吧？这种人的心最好吃了！"

忽然有人从旁边跑过来，看到宁汝馨她们，惊呼道："她们——"声音戛然而止，张开的嘴再也合不拢，脸上覆盖着一层薄冰，在月光照耀下显得亮晶晶的，看起来十分诡异。

白菱发出惊呼："你这是干什么？！"

女人拿开抵在那人背后的手，"他来的不是时候，所以就怪不得我了！"伸手在那人背后敲了一下，一阵"咔嚓"的碎裂声之后，那个人变成一地碎裂的冰块。

朱琪琪骇然道："你为什么杀了他？他是你的同类吧！"

"这家伙是人类，就和你们一样。"女人冷冷一笑，"不过就算是同类，有必要的话我也会照杀不误！"后面这句话是看着白菱说的，残忍的语气令人不寒而栗。

宁汝馨沉声对龙飞道："你带她们先走，我等会去追你们！"龙飞点头道："你自己小心！"说完拉起朱琪琪和白菱，一溜烟地跑了。

女人娇呼一声道："给我站住！"向龙飞他们离开的方向追去。

宁汝馨闪身想去拦住她，谁知道那个女人根本是虚晃一枪，真正的目标却是宁汝馨。不但没有停下来，反而突然加速向宁汝馨冲过来，同时手中多了一把晶莹剔透的冰匕首，刺向宁汝馨。

宁汝馨大惊,想闪开却已经来不及了,急忙向后一仰,冰凉的刃锋在她胸前划过,留下一道长长的口子,露出柔嫩的肌肤。鲜血不断涌出,洒在宁汝馨雪白的衣服上,就像是一朵朵艳丽的桃花,分外刺眼。

女人伸出舌头舔掉匕首尖上留下的几滴血珠,笑道:"想不到你竟然能躲开,不过下次就没这么幸运了!"话音未落,突然猛身直进挺剑向宁汝馨刺来,同时周围空气的温度骤然降低,几乎要把血管里的血都冻住。

宁汝馨的动作一下僵住,根本无法进行闪避,只能眼睁睁地看着匕首刺进自己胸膛。

女人狞笑道:"把你的心给我吧!"说话间,手中匕首一拉一挑,已经把宁汝馨的心脏挖出来,血淋淋地托在手里。心脏还在不住跳动,在周围冰冷的空气中散发着蒸蒸热气。

"看起来味道不错——"话音未落,女人忽然觉得腿上一紧,低头看去,这才发现竟然是宁汝馨伸手牢牢抓住她的小腿,一双空洞无神的眼睛瞪着她,用令人毛骨悚然的怨咒语气不断道:"把我的心还来……把我的心还来……"一边说话,胸前的窟窿里还不停地涌出血来,将周围的地面都染红了。

女人惊骇道:"你怎么还不死!"感到抓住她小腿的那只手不断收紧,已经深深陷进肉里。剧痛之下来不及多想,女人将手中匕首一挥,把那只手齐腕砍了下来。谁知这样一来那手不但没有松开,反而抓得更加紧了,就好像不断收紧的铁箍一般。

正在惊疑不定,女人忽然感到脖子上一紧,心中惊道"不好!"那个"僵尸"不知道什么时候来到她背后,用剩下的那只手紧紧卡住她的脖子。女人感到脖子上的手不断收紧,她的呼吸也越来越困难,渐渐地眼前的景色开始模糊起来……

耳边忽然传来"啪"的一声轻响,女人浑身一震,感到脖子和小腿上同时一松,茫然四顾,发现僵尸、断手和攥在她手里的心脏全都不见了踪影,甚至连一点血迹都没留下。莫名其妙地自言自语道:"这是怎么回事?"

"是幻术,而且是相当强的幻术。"一个声音从她身边传来,"唉,水灵你也太不小心了,这么轻易就着了别人的道,让我怎么信你?"

女人急忙回身跪下,伏身在地,颤声道:"孩儿无能,请妈妈责罚!"

"妈妈"道:"算了,你先告诉我,这到底是怎么回事?能使用这种程度幻术的,应该也不是个简单的人物。"

女人急忙道："都是白菱干的好事！她不但放走了一个男人，还勾结外人想要对妈妈您不利！"

"白菱……这个孩子有这么大胆子？"

"她真是胆大妄为之至！"

"那你还不去把她抓回来？把她带到我这里，我有话要问她。"

女人惶恐道："是、是！"急忙站起身，低着头快步后退，走出好远之后才敢转过身，快步离开。

另一个声音道："妈妈，要不要派两个亲卫去给水灵帮忙？"

"不用管她，眼下还有更重要的事要做。明天可是我最重要的日子，一定得好好准备才行！"

"是！"

第八章
溯源

龙飞他们走出没多远，宁汝馨就从后面赶上来。

朱琪琪惊讶道："这么快就打败那个妖怪了？"

"我在她的脑子里放了一点东西，"宁汝馨淡淡道，"让她和幻觉玩一会。"

龙飞笑道："我就说嘛，那只兔子妖怪怎么会是你的对手？"

"不，如果真打的话，我恐怕不是她的对手。"宁汝馨摇摇头，实话实说，"如果我没看错，她起码得有四五百年的道行。刚才我只是趁她分心的时候偷袭，这才能一下得手，下次如果她有了提防，大概就不会这么简单了！"

白菱忽然道："能从'水灵'白沐手下逃出来，你的本事已经算是相当不小了！"

"'水灵'白沐？"龙飞道，"这是那个恶女人的名字吗？"

"没错，她叫白沐，是妈妈手下五灵将之一的'水灵'，使用水和冰的法术。平时就是她来负责管理我们这些'欲兔'。"

朱琪琪道："嫦娥抱着的那种玉兔？"

白菱摇头道："不，是欲望的'欲'。"然后道："我们还是先离开这里吧，妈妈随时可能回来，要是被她抓住，咱们就全完了！"

宁汝馨道："你知道怎么离开这里？"

"当然，你们跟我来吧！"说完，白菱走在前面带路。其他人对视一眼，一言不发地跟在她后面。

白菱没有顺着小溪走，而是一头钻进桃树林，带着龙飞他们在红艳如血的桃花丛中穿行。她左转右绕，却总是能在茂密的树林中找到仅容一人穿行的小路。龙飞他们不得不亦步亦趋跟在她身后，生怕一步跟不上就在树林中迷路，再也出不去了。

走了不知道多久，宁汝馨注意到周围桃花的颜色渐渐变成柔和的粉色，就像刚进入那处峡谷时所见到的一样。

白菱忽然道："好了！"快走几步，从桃花林中走出来。

宁汝馨跟在她后面走出桃花林，发现正是在一条小溪旁边，不远处就是他们进来的那处峡谷。

白菱走到小溪边坐下，脱下鞋袜赤脚泡在溪水中，"这里已经离开结界的范围了，我们可以休息一下。"

走了这么许久，朱琪琪和宁汝馨也都累了，于是学着白菱的样子赤足伸进溪水中，冰凉的溪水从肌肤上流过，感觉真是说不出的惬意。龙飞更绝，只听他大吼一声，就这样穿着衣服跳进小溪里，直挺挺地躺在溪水里，砸起一大团水花，溅在三位姑娘身上，引来一阵笑骂声。

乱了一阵，宁汝馨问白菱道："你说这里有结界？"

"对，这片桃树林就是。如果不知道路的话，无论怎么走，最终都会走到村里。"

龙飞躺在水里，仰面朝天道："好像不太对啊！按照《桃花源记》上说，那个'幸运'的渔夫'既出，得其船，便扶向路，处处志之。及郡下，诣太守，说如此。太守即遣人随其往，寻向所志，遂迷不复得路'——这样说的话，这个结界应该是不让别人进去，而不是阻止他们出来！"

"你的古文倒是背得挺熟，"宁汝馨撇撇嘴，"不过，这里并不一定就是那上面所说的桃花源地啊，也许只是同样有一片桃花林而已。"

"不，很可能就是。"白菱道，"我曾经听妈妈说过，她是在四百多年前来到这里的。当时整个村落空无一人，只留下遍地尸骨，应该就是这里的原来的居民。"

朱琪琪道："她说谎！我猜是她把原来生活在这里的人都杀了！"白菱并没有反驳，大概她也觉得有这个可能性。

"四百多年前？那大概是明末清初……"宁汝馨思索道，"而写《桃花源记》的陶渊明是晋人，距今大约一千六百多年……中间差了一千两百多年，这么长的时间里，什么事情都可能发生。"

龙飞好奇道："比如？"

"瘟疫，饥荒，或者其他突如其来的灾害，都可能让整村人丧命。"宁汝馨轻轻叹了口气，"这样与世隔绝的村庄其实是很脆弱的。因为人口太少，所以不得不在近亲之间进行婚配，久而久之必然导致种群的退化。根据《桃花源记》来推测，这里最初的居民应该是为了躲避秦朝时的战争才躲到这里来的，他们中大概有一个——或者几个——法力高强的术士，在村庄周围建立起结界，将村庄与世隔绝。在以后的一千多年里，只有那个'渔人'偶然来到这里，这才留下了一点零碎的纪录，后来被陶渊明写成了《桃花源记》。在那之后，这个封闭的村庄里到底发生了什么，就没有人知道了……"

朱琪琪道："既然有结界，那个人怎么可能来到这里？"

宁汝馨摇头道："这就不知道了，也许是他的运气特别好，到这里时正是这个结界最脆弱的时候，才让他一头闯了进去。"

龙飞忽然问白菱："你们的'妈妈'——真的是你们的妈妈？"

白菱一愣，莫名其妙道："什么意思？"

"就是说，你们真是她生的？"

白菱这才明白，点头道："是，这里所有的兔妖都是她的后代。"

"这么多！"龙飞笑道："那她可真算得上是'英雄母亲'了！那么，我冒昧问一句，你们的老爸是谁？"

白菱道："我们没有父亲。"顿了顿又道："如果硬要说的话，大概应该是'黄泉'。"

宁汝馨问道："那是什么？"

这个问题让白菱呆了一下，然后才道："是一座雕像——至少我们看到的是。"

宁汝馨继续问道："什么样子的雕像？"

"其实说是雕像，不如说是一块稍有人形的大石头，胸前刻着'黄泉'两个字。在雕像眼睛的位置有两个窟窿，里面会流出一种液体，我们称作'黄泉之泪'。如果是女性——不管是人类还是妖怪——喝下黄泉之泪之后能够大幅提高灵力，不过提高的效果只能维持一段时间。但是如果男性喝下这种液体，很快就会变得极度兴奋，只想找女人发泄胸中欲火。"一旁朱琪琪听得满脸通红。

龙飞笑道："也就是一种春药！"

"可以这么说，不过不仅如此。"

宁汝馨道："还会怎样？"

白菱眼中闪过一丝悲哀，过了一会才继续道："一旦喝下'黄泉之泪',在药性发作的这段时间里这个男人就变成了行尸走肉,没有思想,没有记忆,更没有半点感情,剩下的只有永远难以满足的欲望……"

龙飞道:"就像我们在水潭那边看到的那个家伙一样。"

白菱脸色一变,失声道:"你们看到他了?!他现在怎么样了?"

宁汝馨想阻止龙飞说出来,不过已经晚了。龙飞脱口而出:"死了!"这还没完,继续比划着道:"那家伙就像是个老旧的布偶一样,稍微一碰就倒在地上碎掉了!当时真把我们吓了一大跳!"

白菱脸上露出痛苦的神色,自言自语道:"他还是把所有的黄泉之泪都喝了……"

宁汝馨将手放在她肩上,柔声道:"你认识他?"

白菱有些失神,幽幽道:"他叫岩鹰,原本是附近一处村庄里最好的猎人。"

朱琪琪兴奋道:"这附近有村庄?"

"是啊……哦,不过那已经是几十年前的事了。那个村里的所有人都已经成了献给黄泉的祭品,他应该是最后一个。"

龙飞道:"不是只有女人才会被当作祭品吗?"

白菱想了想,道:"确切地说,男人并不是祭品,而是'黄泉'的食物。据妈妈说,黄泉能够从他们充满欲望的灵魂中吸取力量,因此她才命令我们用各种方法找来许多男人,让他们喝下'黄泉之泪',然后尽可能去满足他们的欲望。等到一个男人的灵魂完全被欲望控制的时候,黄泉就会把他的灵魂取走。"

宁汝馨凑到龙飞耳边,低声道:"原来你差点就变成人家饲养的家畜了!"对她的话,龙飞只有报以苦笑。

朱琪琪问道:"那个叫岩鹰的人为什么没有被取走灵魂?"

"因为他的身体和灵魂都特别强壮,所以被作为特别的祭品而饲养了很长一段时间。不过最近几天他就要被献祭,我不想看着他失去灵魂,就趁着妈妈离开的时候,偷偷把他放走。"

宁汝馨道:"你就是因为这个才被抓起来的?"

"没错,"白菱秀美的脸庞因为痛苦而显得有些扭曲,"不过我还是害了他……"

"怎么会?"

白菱叹息道:"一旦喝下'黄泉之泪',后半生就再也无法摆脱它的阴影,哪怕停用一天,也会像千刀万剐一样痛苦!所以在逃出来之前,我悄悄去妈妈的房间里偷出一些'黄泉之泪'交给岩鹰,让他能撑到外面的世界,说不定那里有办法能救他。"

朱琪琪问道:"你为什么没有和他一起逃跑?"

"我本来也是这样打算的,不过岩鹰说这些'黄泉之泪'根本不够我们走到外面的世界,所以我让他到水潭边等着,又回去想再偷些'黄泉之泪'出来,结果被白沐抓住了。当她知道岩鹰带着'黄泉之泪'逃走之后哈哈大笑,说没有人类能抗拒它的诱惑,岩鹰很快就会把所有的'黄泉之泪'都喝下去,然后灵魂和肉体都被过度膨胀的欲望撕碎……"说到这里,白菱眼中含着泪花,喃喃道:"都是我的错,是我害死了他……"

宁汝馨和朱琪琪都想找些话来安慰她,却不知道该说什么好。

这时天已大亮,耀眼的晨光洒在层层叠叠的桃花上,显得分外妖娆。

白菱站起来,"我们走吧!"

穿过峡谷,他们来到龙飞和朱琪琪掉下来的那处水潭边。因为整个天空都被交错的树藤密密麻麻地挡住,所以即使是白天也没有半点光线。

来到昨夜龙飞他们休息的地方,篝火早已熄灭,连灰烬都被浓重的水汽打湿,变成一堆粘乎乎的灰浆。"岩鹰"尸体火化之后留下的骨灰也遭到了同样的命运,宁汝馨和朱琪琪都很有默契地不去看那些灰烬,因为不愿意让白菱更加伤心。作为女人,她们大约能理解白菱现在的心情。所以当龙飞要叫走在前面的白菱过来"瞻仰遗容"的时候,宁汝馨抬脚重重踩在他的脚背上。

听到龙飞发出"嗷"的一声惨叫,白菱回头奇怪道:"怎么了?"

宁汝馨道:"他想知道该怎么离开,这周围都是悬崖,没法爬上去。"

白菱并没有觉得有什么不对,向前方一指,"那里有路可以上去。"

朱琪琪道:"可那里是悬崖啊!"

白菱走过去,在长满青苔的石壁上摸索一阵,忽然咬破自己的手指,挤出几滴血洒在石壁上。火光中,宁汝馨注意到她的血是像墨汁一样漆黑的颜色,不禁发出一声惊呼:"你的血……"

朱琪琪道:"妖精的血都是黑的?"

白菱摇头道:"这我就不知道了,因为我从没见过家族之外的妖怪。但有一点我是知道的,那就是只要是喝下过'黄泉之泪'的人,他的血也会变成这样。"

说话之间,石壁上长出一丛灰白色的蘑菇,开始还是巴掌大小的一块,转眼之间就变成了桌面般的一大片。与此同时,在离这片蘑菇斜上方不远的地方,也有同样的蘑菇开始生长。

朱琪琪看得目瞪口呆,"这是什么法术?"

"蘑菇术。"说完之后,白菱自己先笑了出来,摇头笑道:"其实这根本算不上什么法术。这些蘑菇的种子一直在这里,我只是把它们从休眠的状态唤醒了。"

"蘑菇之类的真菌没有种子,应该是孢子或者菌丝。"宁汝馨走过去,伸手在那片灰白色的蘑菇上敲了敲,发出"梆梆"的声响,惊讶道:"这么快就完全木质化了!"

"这种蘑菇也是用黄泉的力量制造出来的,只有在这里可以见到。"接着白菱催促道:"快点,过一会这些蘑菇就要开始腐烂了!"

"蘑菇阶梯"沿着山壁盘旋上升,转了大半圈之后,他们终于来到峭壁顶端。木质化的蘑菇把树藤撑开一个口子,让他们可以爬上去。

爬上去之后,龙飞伸了个懒腰,"呼……总算离开那个鬼地方了!对了,不知道那些兔子还在不在附近?"

白菱一愣,随即恍然道:"哦,你说的是那些'弃兔',它们应该就在附近。"

"那真是太好了,"龙飞狞笑道:"让我抓住它们,非得全部剥皮抽筋不可!"全然不顾身边就有一只"兔子"。说完之后,他一头钻进旁边的树林,宁汝馨叫他也没听到。

宁汝馨问白菱道:"什么是'弃兔'?还有,记得你说过自己是'欲兔',那又是什么?"

白菱道:"妈妈借助黄泉的力量生下我们这些孩子,但并不是所有孩子的资质都一样。其中资质最好的孩子会接受黄泉的洗礼成为'妖兔',不但可以变成人形,还能使用法术,其中的佼佼者就是'五灵使';而资质比较差的孩子只能变成人形,被当作控制男人的工具,称作'欲兔';还有很多孩子根本不能变成人形,于是被从村庄里赶出来,在这片森林里游荡,它们就是'弃兔'了。"

朱琪琪大声道:"这样太不公平了!"

"很公平,"宁汝馨淡淡道,"只有更强大、更聪明或者更幸运的才能得到他们想要的东西,妖怪的世界就是这样。"

龙飞从树林里钻出来,恼火道:"那些兔子都不见了!"

朱琪琪笑道:"它们一定是怕被你剥皮抽筋,所以才逃跑了。"

宁汝馨道："别闹了，咱们得赶快回去才行，月炎和其他人现在一定很担心。"然后问白菱："你准备怎么办？"

白菱茫然摇头："我不知道……"

龙飞道："那就跟我们一起来吧，反正养只兔子也不算费事！"

宁汝馨瞪了龙飞一眼，对白菱道："别听这家伙胡说，你也不希望被人当宠物饲养吧？"顿了顿，又道："不过我也认为你最好是尽快离开这里，而且我们也需要你的帮助……"她看着白菱的眼睛，诚恳道："你愿意帮我们吗？"

龙飞在一旁小声嘟囔："黄鼠狼给鸡拜年，狐狸请兔子帮忙，好像差不多……"总算谁也没听到他的话。

白菱想了想，点头道："好吧，我会尽力帮你们离开这里。"

返回营地的路上，朱琪琪问宁汝馨和龙飞要怎么对付那些妖怪。宁汝馨想了想，道："这里的事情已经超出了我们几个的能力范围，所以应该向妖魔猎人协会报告，他们会派更多人手来处理这件事。"

"他们会把这些妖怪都杀掉？"

宁汝馨摇头道："妖魔猎人不是宗教裁判所，他们——哦，应该说我们——任务主要是协调人类和妖魔之类'超现实存在'的关系，只有在协调不成的情况下才会以武力解决。"说到这里露出担忧的神色，"不过从现在的情况看来，这件事和平解决的希望并不是太大。"

正在说着，走在前面的龙飞匆匆跑回来。宁汝馨注意到他的脸色难得的严肃，心中涌起一种不祥的预感。

"营地里的人都不见了！"

第九章
邀　请

正如龙飞说的,营地里空荡荡的没有半个人影。中央火堆的余烬还冒着袅袅青烟,显然他们昨夜还在这里。

在营地里转了一圈之后,宁汝馨回来道:"一切都很整齐,没有和野兽搏斗过的痕迹。"

龙飞道:"会不会是救援队来了,把他们接走了?"

朱琪琪大声道:"他们不会就这样丢下我们不管!"

宁汝馨道:"我也觉得不太可能……嗯?"她注意到什么,走上几步在地上摸了一下,站起来紧张道:"这是血!"

"看看这个!"龙飞来到她身边,弯腰捡起一件黄澄澄的东西。

朱琪琪发出一声惊呼:"子弹壳!"

龙飞和宁汝馨对视一眼,都从对方眼睛里看到了担忧。在飞机上的所有人中,只有周万良身上有枪,而且他也不会轻易放弃这个优势,所以几乎可以确定这是他开的枪。现在的问题是:这是谁的血?

这时突然传来一阵粗豪的声音:"总算回来了!"只见一个铁塔般的壮汉走了过来,手里还提着一只真空包装的烧鸡,看来是飞机上的食品。

"你们就是他们说的那几个人吧?"他的上嘴唇有一道裂缝,将嘴唇从中间分成两半,说话的时候两边嘴唇不住蠕动,显得十分怪异。

还没等龙飞他们说话,那个壮汉忽然"咦"了一声,伸手向他们指指点点,同时嘴里喃喃道:"一、二、三……嗯? 一! 二! 三!"迷惑道:"只有三个? 刚才我好像看到四个人啊!"经他这么一说,宁汝馨和朱琪琪这才发现白菱不知什么时候不见了。

龙飞笑道:"你看错了吧? 这里从刚才开始就只有三个人。"

"是吗?"壮汉歪着头想了想,"那就三个好了,你们跟我来吧!"

宁汝馨问道:"去哪里?"

壮汉不耐烦地摆摆手:"跟我来就是!"说着迈开大步就走,边走边撕下一根鸡腿塞进嘴里,三两口就连骨头带肉都吞了下去。

龙飞示意宁汝馨和朱琪琪跟上,自己却走在最后。

宁汝馨低声道:"吃鸡的兔子,这倒真是少见!"

朱琪琪惊讶道:"你说他是……"

龙飞道:"兔子妖怪,就像藏在我裤腿里的家伙一样!"

朱琪琪这才恍然大悟,难怪龙飞走起路来一瘸一拐的。

龙飞走了几步就停下来,低声道:"我说你可以出来了吧? 要不然换个地方也好啊!"

一只巴掌大小的小兔子从他的裤腿里钻出来,龙飞伸手抓住它脖子后面的毛皮,提起来放进口袋里。他穿的是探险队员用的服装,有两个特别宽大的口袋,装这样一只小兔子根本不算什么。

紧赶几步赶上宁汝馨她们,龙飞低声问道:"那个应该去整容的大家伙是谁?"

白菱在他口袋里回答道:"土灵使,白圻。"

龙飞没听清楚,笑道:"白痴? 果然是人如……不对,是妖如其名! 一看就知道这家伙的脑筋不太清楚!"听到他的话,宁汝馨和朱琪琪都忍不住笑了出来。

那个"白痴"听到他们的笑声,莫名其妙地回头看了一眼,然后又开始大步流星地赶路。龙飞他们必须一路小跑着才能跟上他。

朱琪琪问道:"他要带我们去哪里?"

"不知道,"回答她的是宁汝馨,"不过他应该是带我们到其他人去的地方。为了弄清楚他们的下落,我们不得不冒险。"接着道:"你说他是五灵使之一的土灵使?"这句话问的是白菱。

"没错。"大概是因为龙飞的口袋里太颠簸,白菱的声音有点发颤。

龙飞道:"可是看这家伙实在不像有个能使用法术的脑袋。"

白菱道:"他的确一点法术都不会,但是肉体却超乎想象地强壮,是村里的第一勇士。如果他愿意,可以徒手轻易撕开老虎的胸膛! 而且他也是森林里那些'弃兔'的保护者和管理者。因为有他存在,森林里的野兽根本不敢靠近'弃兔'们生活的区域。"

龙飞笑道："这么说起来，这家伙还算不错。"

宁汝馨还不忘讽刺他："和你一样，都是头脑简单、四肢发达的主儿！"

前面的白垆忽然停下脚步，大吼一声道："你怎么会在这里！"

一个清脆的声音道："妈妈担心你在桃林结界里迷路耽误了客人的时间，所以让我在这里等你。"因为被白垆高大的身躯挡住，龙飞他们看不清说话的人是谁。

"太好了，我也正在担心这个呢！"白垆憨憨一笑，"多谢妈妈！"

一个矮小的身影从白垆身后走出来，宁汝馨这才看清楚原来是一个十三四岁的小姑娘，长得眉清目秀，还梳着一条又黑又亮的大辫子。

小姑娘对宁汝馨他们甜甜一笑，脆声道："这三位就是剩下的客人吧？其他客人都等你们过去，如果可以的话，最好不要让他们等太久。"

宁汝馨道："他们在哪里？"

"在我们村里——对了，他们叫我们村'桃源村'，也不知道是怎么回事！"

宁汝馨心想看来他们都不知道自己这些人不久之前才刚从"桃源村"里跑出来，道："那就带我们过去吧！"

小姑娘微笑道："我来带路！"说着转身走在前面。白垆老老实实地跟在她身后。

宁汝馨等人和他们保持着一段距离跟在后面。

朱琪琪低声道："这孩子也是兔子妖怪？"

龙飞口袋里的白菱小声道："千万不要小看她！她叫白钰，是五灵使中的金灵使！她也是妈妈的心腹，负责'家法'的制定，并且在必要的时候参与执行。不过我从来没见过她出手，所以不知道她的能力如何。"

龙飞笑道："看来我们的面子真是不小，竟然有五灵使中的两位来给我们带路！"

此话一出，其他人也都觉得不太对劲。宁汝馨低声道："小心点！"不过现在他们已经没有别的选择，就算明知前面是龙潭虎穴，也得去闯一闯！

不过一路上什么都没发生。这次他们走的是另一条路，也是沿着小溪穿过一片广阔的桃花林，不过路程似乎要短许多。

"林尽水源"的时候，龙飞他们发现自己是在村庄的另一端，略一思考就明白原来是同一处水源形成了两条小溪，其中一条比较小的流入龙飞和朱琪琪掉进去的那个水潭，另一条则不知流向何方，大概这才是那个武陵渔人乘船前来的小溪。

和他们离开的时候不同，这时的"桃源村"里张灯结彩，家家户户门口都挂着鲜艳的大红灯笼，门口贴着红纸剪成的"囍"字。放眼看去，到处都是一派喜庆景象。

朱琪琪好奇地问道："这是有人要结婚吗？"

白圻咧嘴一笑："没错，妈妈要出嫁！"

其他人都是一愣："什么？"

白钰连忙笑道："各位不要误会，他说的是'妹妹要出嫁'，要结婚的是他的妹妹。"白圻还要说话，被她狠狠一瞪，忙不迭地吞回肚子里。

不管白钰如何解释，龙飞他们却是心知肚明，因为他们知道的事情远比白钰认为他们知道的要多。看来白圻不会说谎（因为没有那个头脑），要出嫁的应该是这些兔妖的"妈妈"，他们的王！

宁汝馨若无其事道："不知道新郎是谁？"

白钰笑道："我们这里有个风俗，新郎是由神明来决定的，请客人们过来就是为了看看神明会把新娘许配给谁。"对龙飞笑道："说不定就是这个哥哥呢！"

"哦……"龙飞很感兴趣，道："新娘是不是美女？要是个七老八十的老怪物，那当新郎的不就亏大了！"

白钰好像没听出他的弦外之音，笑道："当然是美人！"然后道："其他客人就在前面的大屋里，我们还有别的事情要张罗，就不送几位过去了。"然后和白圻匆匆走了。

等他们离开之后，朱琪琪问道："这是怎么回事？"

白菱在龙飞口袋里面道："我不知道！我也是刚知道这件事，在这之前一点消息都没有！"

龙飞笑道："也许是那个老妖怪耐不住寂寞，想随便找个人嫁出去算了！"

宁汝馨道："要真是这样，你就去把她娶回去好了！"

龙飞嘿嘿一笑，道："还是算了吧！"

"我们先去看看其他人怎么样了，"说到这里，宁汝馨压低声音："可能会有陷阱，大家小心！"

刚一进门，就听到侯天粹兴奋地大声道："你们平安无事！真是太好了！"

"圣女大人！是圣女大人回来了！"几个最虔诚的"信徒"围着宁汝馨，激动不已道："太好了，神明果然没有抛弃我们！"

宁汝馨差点忘了这回事，现在只好继续扮演这个角色。不过大多数人的"宗教热情"都消退不少，大概是因为来到这个村庄之后他们的安全感有所增加，所以对神明就不那么热心了。

侯天粹和常湘良走到龙飞身边，几乎是异口同声道："龙哥，你们是怎么出来的？"

"说来话长，"龙飞苦笑道，"早知道你们来了这里，我们就不用这么麻烦了！"

侯天粹和常湘良互相看了看，都感到莫名其妙。

龙飞道："你们怎么会来到这里的？"

常湘良道："是这个村里的人发现我们的。今天一大早有人去砍柴，正好来到我们飞机附近，他们问清楚是怎么回事之后，就邀请我们来这里作客。这里的人都很热情，相当好客！"说着指了指旁边的矮桌，上面摆满了烤鸡、烤肉、瓜果菜蔬，看起来颇为丰盛。

侯天粹道："这里的姑娘都很漂亮，又热情，而且还很开放！""没错！没错！"常湘良连声附和。两人脸上都露出心驰神往的表情。

朱琪琪拉了拉龙飞的衣服，走到一旁低声道："要不要告诉他们？"

"怎么说？告诉他们这个村里的所有人都是兔子变得？"龙飞摇摇头，"他们恐怕不会相信，而且就算他们真的相信，也不过是增加麻烦罢了。"

朱琪琪奇怪道："为什么？"

"你想想，现在他们来到这个村里，刚刚觉得安全了一点，这时候忽然发现周围都是妖怪，你说他们会怎么样？"

朱琪琪想了想，道："大概……会感到很绝望吧？"

"那还是好的，有些心理比较脆弱的人说不定会发疯！"

"那我们该怎么办？"

龙飞道："走一步看一步吧，先弄明白那些妖怪的目的到底是什么，然后再随机应变！"朱琪琪想不出更好的法子，只好点点头。

这时机长走过来，笑道："你们终于来了，我们都很担心呢！"

"多谢关心！"话锋一转，龙飞问道："我们在营地里看到有血迹，还有开枪的痕迹，到底是怎么回事？"

机长赞叹道："你们倒是细心！"伸出手指向身后指了一下，压低声音道:"真是太惊险了!"顺着他指的方向,龙飞看到周万良夫妇独自坐在一张桌子上,和其他人保持着一段距离,和周围的环境格格不入。

机长低声道:"那两个人是毒品贩子!"

朱琪琪大吃一惊:"什么?"

机长道:"他们根本不是那个孩子的亲戚,而是一个跨国贩毒团伙的成员,准备借这次旅游的机会,从内地偷运一种新型毒品的样品到缅甸,再从缅甸偷运一批毒品入境。这些人绑架了周罡的母亲当作人质,胁迫他为他们贩毒。现在周罡身体里就藏着他们要运输的新型毒品!"

朱琪琪愤怒道:"竟然会有这种事!"

龙飞道:"然后呢?"

"很快那个自称'周万良'的家伙就找过来要带那孩子走,我们当然不能让他这样做,就和他据理力争起来。那家伙恼羞成怒,掏出枪来叫嚣着要把我们全都毙了!"

侯天粹走过来点头道:"是啊是啊! 当时真是太危险了!"

龙飞问侯天粹:"你也在场?"

侯天粹点点头,道:"当时多亏了老陶,不然,还不知道会怎么样呢!"

朱琪琪一愣:"老陶?"随即明白他指的是陶安娜的父亲陶骏。

机长点头道:"多亏了他挺身而出,和周万良针锋相对,用一身正气把那家伙的气焰压了下去。周万良狗急跳墙,朝老陶胳膊上开了一枪,说是要先废他一条胳膊。可是他没想到老陶中枪之后竟然连眉头都不皱一下,反而高声嘲笑周万良的枪法太烂。周万良这次是真的被他的气势镇住了,再加上枪声让所有人都醒过来,周万良只好灰头土脸地溜走了。"

"好啊!"赞叹一声,龙飞又问道:"他的伤势如何?"

"擦伤,已经处理过了,没有什么大碍。"机长一指,"他就在那里。"

龙飞向机长指的方向看去,正好看到陶骏向他招手。虽然一条胳膊上绑着绷带掉在胸前,陶骏看上去却是精神焕发,和他上飞机时那种愁眉苦脸形成了鲜明的对比。

龙飞走过去对陶骏竖起大拇指,道:"真有你的!"

陶骏呵呵一笑,"好歹我也是部队锻炼出来的,怎么能输给你们这些年轻人!"听得出来,他的声音里多了不少自信。妻子坐在他身旁,脸上露出自豪的神色,显然是为自己能有这样一个英雄丈夫而感到骄傲。

问了问陶骏的伤势,知道没有大碍之后,龙飞和朱琪琪就离开了陶骏夫妇。

朱琪琪忽然低声道:"他今后的生活也许会有些改变吧?"

龙飞笑道:"那是当然,他已经找回了丢失已久的自信,这才是最重要的!"

这时一群空姐过来把朱琪琪拉过去,叽叽喳喳问个不停。

宁汝馨摆脱她的"信徒",匆匆走过来,神色凝重道:"看到月炎了吗?"

龙飞摇头道:"没有!"正好机长经过,被龙飞拉住问道:"柳月炎——就是我们家那个姑娘,她到哪里去了?"

机长想都没想,答道:"她和另外几个姑娘被这个村里的人叫去帮忙了,他们说准备婚礼的人手不够,让她们帮新娘子化妆!应该就在附近吧,不过具体在哪里就不知道了。"

宁汝馨和龙飞对视一眼,都从对方眼中看到担忧。宁汝馨将龙飞拉到一旁,低声道:"我去找她!"

龙飞为难道:"那我呢?"

"你在这里逗兔子玩吧!"

第 十 章
新 娘

　　走出大厅，刚好有一个"村民"在外面走过。宁汝馨拦住他，问道："我想去新娘化妆的地方，你知道在哪里吗？"

　　那人(确切地说应该是兔妖)狐疑地看了看宁汝馨，不过并没有说什么，而是将手一指，道："顺着这条路走下去第三个院子，门口有人守着的就是。"说完之后匆匆走了。

　　没走多远，宁汝馨就找到那人说的院子。两个身穿大红绣花褂子的粗壮妇人一左一右守在房门两侧，虽然称不上面目狰狞，但也绝不会让人感到赏心悦目。宁汝馨感觉到她们身上散发出强烈的妖气，甚至比昨天晚上遇到的"水灵使"白沐还要强一点，大概这就是白菱说的"妖兔"了，她们是"妈妈"的亲卫队。

　　考虑几秒钟之后，宁汝馨作出了决定，径直向那两个妇人走过去。

　　两个妇人注意到宁汝馨，用警惕的眼神看着她，其中一个问道："这位姑娘有什么事？"

　　宁汝馨从容道："听说新娘子在这里化妆，我想说不定我可以帮上忙。"

　　"那刚才我们过去找人的时候，你为什么不一起来？"

　　宁汝馨道："我是刚刚才到这里的。"

　　两个妇人同时露出恍然的神色，点头道："原来你就是他们说的那几个人中的一个。"挥了挥手，"进去吧，新娘就在里面！"

　　谢过她们之后，宁汝馨推开院门走了进去。

　　"啊，小宁……姐姐！"听这种说话的声调，宁汝馨就知道是柳月。

柳月走过来，"你什么时候来的？龙飞呢？他没事吧？"

"他很好，我和他一起来的，刚到这里。"说这句话的工夫，宁汝馨向四周飞快地看了一圈，发现陶安娜和其他几位年轻姑娘都在这里，看来并没有受到任何虐待。

宁汝馨略微放心了一点，道："你们在这里干什么？"

柳月兴奋道："帮新娘化妆！"接着叹了口气，"可惜我帮不上什么忙……"

宁汝馨道："新娘在哪里？我想去看看。"

"在屋里，蒋阿姨她们正在帮她做发型。"柳月说的蒋阿姨是带团的导游蒋锦华。

旁边的陶安娜忽然发出一声欢呼："是新娘子！新娘子出来啦！"

房门打开，几个女人众星捧月般簇拥着一个看起来二十岁左右的年轻女子从里面走出来。中间的女子和白菱有七八分相像，穿一身大红礼服，头戴凤冠，肩披霞帔，看起来就像是电视上常见的古代新娘，只是还没有盖上盖头。

"好漂亮！"柳月发出一声赞叹，羡慕之情溢于言表。

宁汝馨注意的却是那位新娘身上发出的若有若无的妖气。可以肯定，她是个妖怪无疑。和人类的"灵力"或者"魔力"类似，妖怪身上的超自然力量被称为"妖力"，而他们在有意无意中散发出来的"妖力"就称作"妖气"。理论上来说，越厉害的妖怪的妖气应该越强才对，但是那些年老成精的妖怪都会用某种方式收敛自己的妖气，让人很难察觉。当修炼到"仙"这一境界的时候，妖怪(此时应该称为"妖仙")就可以完全隐藏妖气，从外表看起来和普通人丝毫无异。

新娘注意到宁汝馨的存在，眼中露出惊艳的神色，问道："这位姑娘是？"

"我是宁汝馨，"宁汝馨走上一步，"可以和你单独谈谈吗？"说话之间，她有意识地放出妖气。如果不是有意放出的话，平时宁汝馨身上根本不带半点妖气，连她自己也不知道为什么会这样。

转瞬之间，其他人的心神全都被吸引到宁汝馨身上。即使同是女性，她们也不禁感到心头鹿撞、脸颊发热。没有人能抗拒这种魅力，现在的宁汝馨才是倾国倾城、颠倒众生的九尾妖狐！

新娘愣了一下，随即恢复常态，笑道："想不到竟然是高朋到访，真是有失远迎了。"向屋里一指，"请进来说话！"

宁汝馨也不谦让，径自走进去。

新娘对其他人甜甜一笑，道："我和这位姐姐私下说说话，麻烦大家在这里等一下。"说完之后走进屋里，从里面把门关上。过了好一阵子之后，外面的人才缓过神来，一个个面红耳赤，喃喃的不知道该说些什么。

屋里的陈设相当古雅。大门对面的木桌上摆着一面镜子，旁边是些水粉胭脂眉笔口红之类的化妆用品，从古到今一应俱全。

关好门之后，新娘转身看着宁汝馨，笑道："我已经几百年没见过同类了，这位姐姐怎么称呼？"

"宁汝馨。"

"好名字！"新娘轻笑一声，"我是白雪。这个名字是我以前的主人给我取的，也就一直用着。"

宁汝馨并不关心她名字的来历，单刀直入问道："是你把那些人骗到这里的吧？你到底要做什么？"

白雪笑道："姐姐这么说话太伤人了吧？我是真心诚意邀请他们来这里做客，怎么能说是骗呢？"

"然后呢？你准备对他们做什么？"

白雪抿嘴笑道："我打算在他们中间挑一个当作丈夫，这样并不过分吧？"

"只是这样？"

"还能怎么样？"

宁汝馨冷笑道："比如说，把他们当作祭品献给黄泉。"

白雪脸上的笑容敛去，冷冷道："你怎么会知道黄泉的？"接着恍然道："哦，我知道了，是白菱那孩子告诉你的吧？那么说你就是昨天夜里来这个村里的三个人之一了。"

宁汝馨讽刺道："我还得多谢你们的热情招待！"

白雪叹了口气，无奈道："白沐这孩子，我对她说过好几次，黄泉不再需要祭品了，可是她就是不听，看来她继承了那些血脉中太多丑陋了……"

宁汝馨不知道她在说什么，怀疑道："你说黄泉不需要祭品了，为什么？"

"这是黄泉自己说的。经过这几百年，它已经吸收了足够的灵魂，所以不再需要了——就是这样。"

宁汝馨还是不太相信她所说的，道："这个黄泉到底是什么东西？"

出乎她的意料，白雪摇头道："我也不知道。但是有一点我很清楚，它可以给我力量，非常强大的力量。"说到这里，她忽然露出一个阴险的笑容。

宁汝馨猛地意识到事情不妙，但是已经晚了。一阵阴冷的凉意顺着脊柱一直刺进脑子里，让她浑身一阵冷战，然后就发现身体不听使唤，软软地向后坐倒。白雪快步走上去扶住宁汝馨，顺势让她坐在一张红木椅子里。

"怎么样？这种感觉不错吧？"白雪甜甜一笑，"我称这个为'操纵术'，无论对人类还是妖怪都很有效。"

宁汝馨想说话，却发现自己连嘴都无法张开。从进入这个院子开始，她就一直小心提防，没想到还是中了对方的暗算。

白雪抚摸着宁汝馨的脸颊，幽幽叹了口气，道："你真美，道行又高，连我都忍不住嫉妒你了……对了，你是什么妖怪？"

宁汝馨根本无法开口，更别说是回答了。

白雪摇摇头，笑道："算了，我也不想知道。"顿了顿，接着道："我给你讲个故事，好不好？"

宁汝馨心中惊疑不定，不知道她在玩什么花样。不过就算她想拒绝也无法开口，只能静静地听着。

"很久很久之前，那时候我有一个主人，她是整个县城里最漂亮的姑娘。她很喜欢我，我也很喜欢她，我们经常一起在她家的后花园里玩耍，我躲在花丛里让她来找，有时候她找不到我，还会像小孩子一样哭起来。那段时光是我这一生中最快乐的日子。"

"大概是我一岁半的时候吧，一伙强盗来到主人家里，把她的父亲、母亲、爷爷、奶奶和府里所有的人都杀了。后来我才知道，是因为强盗头子看上了主人的美貌，要把她抢回去做压寨夫人。"

"看着亲人的尸体，主人没有掉一滴泪，可是我知道她的心在滴血。当时她把我抱在怀里，我能感到她的指甲深深陷进胳膊上的肉里，流出来的血把我的皮毛染红了一大片……"说到这里，白雪停下来，整个人似乎深陷在那久远的记忆里。

宁汝馨什么也不能说，就算她可以开口，这种时候又能说什么？

过了一会，白雪这才继续道："后来主人被那些强盗带上了山，在成亲的当晚……呵，如果那也算是成亲的话。"她冷笑一声，"我现在还记得那个强盗头子满是酒味的丑恶身体。如果我是一只猫，一定会去把他的眼睛挖出来——可惜我只是一只兔子，什么都做不了，只能眼睁睁地看着那个男人把美丽的主人压倒在床上……"她的呼吸越来越急促，显示出她激动的心情，忽然冷笑道："可惜他太低估我的主人了。等他泄完欲，沉沉睡去的时候，主人悄悄起来，用牙齿咬断那家伙的喉管。那家伙立刻疼醒过来，血从脖子上伤口不断流出来，撒在新房里红彤彤的帐子上。他想大声叫喊却只能发出'赫赫'的声音，没过多久就倒在地上，死了。"

虽然白雪说得很平静，宁汝馨却能想象得出当时惊心动魄的情景。是怎样的仇恨才能把一个花样柔弱的女子变成噬人的凶兽？

"看着仇人死透之后，主人抱着我跳窗逃了出来。那些强盗很快就发现了我们，开始举着火把追上来。主人跑到一处悬崖上，把我放在地下，对我说：'白雪，你自己跑吧！'然后纵身从悬崖上跳了下去。"

如果宁汝馨可以说话，这时一定会发出一声惊呼。虽然她并不赞成不必要的"舍生取义"，但是对这位"主人"的所作所为却只有由衷的敬佩。

白雪接下来的话更让宁汝馨吃了一惊："我也跟着她跳了下去。"

"不知道该说是幸运还是不幸，悬崖下面是一条湍急的大河。主人不识水性，我咬住她的衣襟想把她拉起来，可是实在无能为力，很快就耗尽了力气，和主人一起向水中沉下去。"

"当我醒来的时候，嘴里还咬着主人的衣襟，不过已经是在一条船上——主人和我都被一条客船救起来了。"

听她这么说，宁汝馨不禁松了口气。她现在已经被这个故事深深吸引，甚至几乎忘了自己被白雪的法术禁锢着。

"很幸运，你一定这么想吧？可惜，这只是不幸的延续而已。"白雪苦涩一笑，"人说红颜薄命、天妒红颜，说不定是真的！"

不理宁汝馨，白雪继续道："这条船属于一个姓桓的公子哥，他对主人似乎是彬彬有礼，格外殷勤，主人也很喜欢他，可谁知道这个姓桓的竟然是个不折不扣的骗子，不但骗得了主人的身心，而且到了成都之后竟然在'新婚之夜'把主人送进了他家开的妓院！"

"主人拼死不从，后来终于找个机会逃了出来。那个姓桓的带人牵狗在后面紧追不舍。就这样不知道逃亡了多久，主人带着我来到这里。"

"你应该也感觉到了吧？这个地方有结界保护。不过当时这些结界全都失去了作用，我们很轻易就穿过了桃花林，来到这个村庄。姓桓的和他的人也是一样。"

"主人和我藏在村庄下面一处地窖里，那里有一座刻得很粗糙的石像，两只眼睛是两个黑洞洞的窟窿。"说到这里，宁汝馨就知道她说的是"黄泉"。

"姓桓的很快就带人找到这里，狞笑着把我从主人怀里夺下来，狠狠摔在那座石像上。当我再次醒来的时候，发现姓桓的和他带来的人都浑身赤裸，死猪一样趴在地上。然后我才发现，自己已经不再是一只兔子，而是一个女人——后来黄泉告诉我，它取走了我主人的灵魂，然后把我和主人的肉体合二为一，再把我的灵魂注入这个新的肉体里。就这样，我从兔子变成了妖怪。"

"过了许久我才知道黄泉为什么要这么做——因为它需要一个盟友——或者说，一个帮凶，一个可以帮它引诱灵魂的香饵，那就是我。我很高兴有这样一份差事，因为这让我有机会可以复仇，姓桓的死了之后，我要报复的对象就变成了'黄泉'……"

看着宁汝馨惊讶的眼神，白雪笑了，"你一定觉得很奇怪，我为什么要向黄泉复仇，是不是？"宁汝馨当然无法回答，甚至无法点头或者摇头。

白雪自顾自地说下去："记得我刚才说过，是黄泉拿走了主人的灵魂，是它杀了主人！我想为主人报仇，就是这么简单。不过黄泉太强大了，当时的我根本不是它的对手，只会被它吸去灵魂——即使现在也一样，所以我只有等待机会。"

"黄泉靠吸收充满欲望的灵魂而成长壮大，当它变得足够大的时候，就会脱离那个石头躯壳，降临到它自己挑选的人类身体上，而当它与人类身体结合的那一小段时间里，它会变得很脆弱，这就是我等待的机会！"

"没错，黄泉选中的身体就在我邀请来的那些人中间，不过我也不知道是谁，但可以肯定是个男人，而且很年轻——黄泉喜欢年轻的躯体。他们的飞机之所以会在这附近失事，应该也是黄泉的力量所致。"

宁汝馨想起飞机上那些黑影一样的怪物，难道那就是黄泉的"力量"？

"呼……"白雪停下来长长舒了一口气，对宁汝馨笑道："你是不是觉得我很唠叨？其实这还是我第一次和别人说这么多话。大概是因为就快要解脱了，整个人都觉得轻松了呢！"

这时门外有人道："妈妈，一切都已经准备好了，随时可以开始。"说话的是门外的两个亲卫之一，大概是因为其他人都走了，所以她还是按照平时的习惯称呼白雪为"妈妈"。

白雪答道："知道了，我马上就来。"忽然对宁汝馨笑道："你来做我的伴娘，好不好？"

第 十 一 章
新 郎

柳月回到大厅,看到龙飞正在一个不起眼的角落里,拿着根香蕉喂一只巴掌大小的兔子,奇怪道:"你这是在干什么?"

龙飞咧嘴一笑:"正在培育非常时刻的备用粮食。"

柳月注意到那只小兔子浑身一哆嗦,惊讶道:"它能听懂你的话!"

"听懂?她还能说话呢!"龙飞看看周围没人注意,低声道:"这只兔子是妖怪!"

"兔子妖怪?"柳月先是吃了一惊,随即欢喜道:"太可爱了!"亲热地把小兔子抱在怀里,"你是从哪里找到她的?你叫什么名字?"前一句问的是龙飞,后一句却是对兔子说的。

怀里的兔子用细若蚊蚋的声音道:"白菱。"

柳月惊喜道:"呀,真的会说话!"

龙飞道:"有没有看到狐狸?她应该是去找你了。"

"这里的新娘子好像认识小宁,把她留在那里说话。"

龙飞脸现忧色,皱眉道:"那就有点麻烦了……"

柳月奇怪道:"怎么了?"

龙飞指了指白菱,压低声音道:"这个村里的'人'都是她的同类,而你说的那个'新娘',应该就是这些兔子的娘!"

"怎么可能?"柳月这才意识到事情的严重性,"你是说这个村里的人都是妖怪?"

"确切地说,是兔妖。"

"他们把我们带来要干什么?"

龙飞道:"那大概只有很少几只兔子才知道,反正这一只不知道。"他指的当然是白菱。

柳月急道:"那我们该怎么办?小宁会不会有危险?"

龙飞挠头道:"应该不会吧,从来没听说有狐狸被兔子吃掉的!"

一个清脆的声音传来:"各位客人,请稍微停一下!"说话的正是"金灵使"白钰,只见她跳上一张桌子,大声道:"请大家跟我来,按照我们这里的风俗,要由神明为新娘挑选丈夫,所以请各位男客人跟我来。"

侯天粹起哄道:"总得让我们先看新娘的样子吧?"立刻有不少人群声附和,场面热闹非凡。

白钰似乎早就预料到会出现这种情况,笑道:"请各位看门口!"

众人急忙回头向门口看去。大厅正门忽然大开,一个身穿红衣,头戴凤冠的娇娆身影出现在那里。一条半透明的红色纱巾遮住她的脸庞,只露出一双眼睛,却更增加了神秘的美感。美目顾盼生辉,佳人倩影朦胧,此情此景让不少人都看得痴了。一时间,大厅里只能听到他们急促的呼吸声。

大门缓缓关闭,终于无情地截断了人们的视线。

白钰笑道:"大家都看到了吧?那么想当新郎的就请跟我来!"

"我!""算我一个!"侯天粹和常湘亮反应最快,争先恐后地冲过去。

白钰身边很快就聚集了一大群人,几乎所有单身的,还有老婆不在身边的男同胞都加入了这个行列。

为了避开白钰和其他兔妖,白菱钻进桌子下面。见龙飞还坐着一动不动,她不禁奇怪道:"你不去试试看?"

龙飞面色古怪,摇头道:"不去。"

柳月好奇道:"为什么?难道是怕小宁咬你?"

"我是个成年人,做事当然不能像年轻人那么冲动,凡事都要考虑后果。"龙飞把白菱从下面抓出来放在桌子上,"刚才那个是你们的'妈妈'吧?"

白菱被他问得莫名其妙,点头道:"是啊。"

龙飞一本正经道:"要是万一被选中了,我不就成了你们的老爸了?一下就多了这么多孩子,想想就够头疼的了!"

柳月和白菱先是一愣,接着"扑哧"一声笑了出来。

这时白钰已经带着那支"新郎预备队"离开了,大厅里的人一下子少了将近一半,变得有些冷清。

朱琪琪走过来。看到龙飞,她似乎既诧异又高兴,迟疑了一下,道:"那些人不会有危险吧?"说完之后,不知为什么她的脸上露出失望的神情。

白菱道:"我也不知道妈妈到底想干什么。"

一个冰冷的声音从朱琪琪背后传来:"你当然不会知道,叛徒!"

朱琪琪猛然回头,这才发现"水灵使"白沐不知道什么时候站在身后。

白沐原本秀美的脸庞因为狰狞的冷笑而变得扭曲,"没想到你们有这么大胆子,竟然敢大摇大摆地回来这里,倒让我费了不少事,不过这次你们别想跑了!"就向白菱抓去。

一只手横里伸过来,抓住白沐的手腕,"不要对客人无理。"说话的是个年轻男子,面目俊秀,文质彬彬,让人很容易心生亲近之感。

白沐挣开那只手,怒道:"可是他们是从这里逃走的!"她不自觉地提高了声音,引来周围一片错愕的目光。

"不管怎样,现在他们是客人。"年轻人淡淡道,"而且,昨天晚上你擅自做主的事情,让妈妈很不高兴。"

白沐似乎吃了一惊,随即指着柳月怀里的白菱,道:"好吧,那么她总不是客人吧?我要把她带走!"

"那可不行,"龙飞抢着道,把白菱从柳月怀里拿过来,"这是我的备用食品!"

白沐几乎被气疯了,大声道:"你……"

"够了,"年轻人拦在她面前,"一切都等妈妈来做决定!"

白沐脸色苍白,声音因为愤怒而发颤:"好……好!"转身跑了出去。

年轻人叹了口气,回头低声道:"好自为之。"说完也转身走了。

有人过来问发生了什么事,都被龙飞搪塞过去。

等其他人离开之后,龙飞把白菱放在桌子上,"那个小白脸兔子好像对你不错,你们认识?"

"他是火灵使,白烜。"白菱低声道,"我不喜欢他。"

柳月好奇道:"为什么?看起来他的人还不错啊!"

白菱道:"我就是讨厌他!"也不再多解释。

朱琪琪扳着手指数道:"水、土、金、火,五灵使我们已经见过四个了,还应该有个'木灵使'吧?"

"没有'木灵使',现在'五灵使'只有四个人。"那个小姑娘"金灵使"

白钰笑嘻嘻地走过来，"木灵使因为触犯家法，被妈妈封印了妖力，变成了一只'欲兔'——对不对，白菱姐姐？说起来妈妈对你真是不错，让你还能和那个人类在一起。"

白菱道："所以我并不恨妈妈，甚至还很感激她。"

"不过对火灵来说就太不公平了，他一直都很喜欢你的。"

"那是他的事，跟我无关。"

白钰撇撇嘴，"真绝情！"

朱琪琪惊讶地看着白菱，"你就是木灵使？"

"早就不是了。"

柳月问白钰："你带走的那些人呢？他们到哪里去了？"

白钰笑道："那些人正在排队接受挑选。我讨厌他们总是问我这个那个的，就让土灵在那里看着，自己跑出来了。正好碰上水灵，她告诉我说白菱姐姐在这里。"

白菱冷冷道："所以你就来抓我了？"

"怎么可能？我只是过来看看，仅此而已。"说到这里，白钰看着龙飞，"大哥哥，你不想当新郎？"

龙飞摇头道："不想。"

白钰奇怪道："为什么？"

龙飞露出一个邪恶的笑容，"就兔子而言，我还是喜欢肉比较嫩的，比如说像你这样细皮嫩肉，吃起来口感一定不错。"

白钰也没生气，笑道："可惜我的肉不好吃。"顿了顿，接着道："如果那些人中选不出新郎的话，就只好请大哥哥过去了。"

很快，去参加"新郎选拔"的男人们陆陆续续地回来了，毫无例外都耷拉着脑袋，显然没有被选中。

有人问起他们被挑选的过程，回答说是让他们逐个把手放在一个石头雕像上，不过什么都没发生，然后就被告知不是合适的新郎人选。有的"候补新郎"也为此提出抗议，要求给一个合理的解释，不过人家回答说是风俗如此，他们也没有办法。

最后，"土灵使"白坼高大的身影出现在大厅门口，对白钰摇头道："没有！"

"那么说新郎一定就在其他几位男客人中间了，"白钰微笑道，"那边的两位伯伯和旁边那位哥哥，这位大哥哥，还有那边的叔叔，请你们跟我来吧！"她一连点了几个人，看来是早就看好了目标。

陶安娜的母亲站起来大声道："等等，他是我的丈夫！"刚才白钰点的人里面就有陶骏，这当然让她这个做妻子的很是愤怒。

白钰还是笑着道："那跟我们无关，我们只是想为新娘挑选一个合适的新郎而已。"说着一挥手，几个彪形大汉冲进来，还没等别人反应过来，已经有两个大汉冲上前去，一边一个把陶骏架了出去。另外几个在一旁虎视眈眈，随时准备动手抓人。

龙飞吹了声口哨，"你们这是抢亲吗？"

白钰把手一摊，"情非得已，我们也只好这么做了。"

龙飞呵呵一笑，"那我就恭敬不如从命了。"说着站起来走了出去。

其他几个被白钰点到的人看到这架势，都知道这次是躲不过去了。不过被选中的毕竟只有一个，而且说到底这似乎也不是什么"坏事"，所以也学着龙飞的样子起来走出去。等他们都走出去之后，那几个壮汉和白钰也跟了出去。

柳月咬牙道："狐狸尾巴——不对，是兔子尾巴终于露出来了！"

朱琪琪担忧道："他们不会有危险吧？"

不过也有许多人对龙飞他们的遭遇羡慕不已。侯天粹和常湘良就是其中两个，"早知道我也不这么早去了！""拉倒吧你，咱们都是这样的命，啥时候去都一样！""说起来，你觉得那五个人里面谁的希望最大？""当然是龙哥！""我觉得也是，你看其他的不是太小就是太老，只有龙哥和那个美女最般配！""可是龙哥身边已经有了这么多美女，这下可够他烦恼的了！""这种烦恼我也想要啊！呜呜……""同命相怜啊！呜呜呜……"

第二批"新郎候补"只有五个人，龙飞、陶骏、机长，还有周罡，以及那个自称"周万良"的毒品贩子。

白钰和几个壮汉"押"着这五个人，从村庄正中的一间空荡荡的房子里顺着向下的楼梯来到一间宽阔的地下神殿，然后把他们排成一队，带到一座简陋的石头雕像前，白圻随后也赶过来，其他"村民"都退了出去。

"只要把手放在那个石像上就行。"白钰这样对"候补新郎们"说。

第一个是"周万良"，他把手放在石像上之后什么都没发生，随即一言不发地退开站在一旁。

第二个是陶骏，石像对他的手也没有任何反应，这倒让他松了口气。接下来的机长也是一样。

下一个是周罡，当他不情愿地把手放在上去的那一瞬间，整个石像突然亮起一阵妖异的红光,接着是一连串劈劈啪啪的碎裂声。

周罡被这突如其来的变化吓了一跳,本能地连忙道:"对、对不起!"话音未落,那座石像轰然坍塌,变成一堆碎石块散落在地下。碎石堆上,一颗杏仁大小的黑色宝石静静地躺在那里,在旁边烛火的光芒中闪烁着动人心魄的美丽光辉,让所有注视着它的人不由自主地屏住了呼吸。

白钰大声宣布道:"这位哥哥,你就是神挑选的新郎!"

周罡惊疑不定地指着自己,道:"我?"

"没错,就是你。"说话声中,新娘子走进来,脸上还带着面纱。宁汝馨表情漠然地站在她身后,见到龙飞也没有任何反应。

周罡喃喃道:"可我只是个高二的学生……"

新娘柔声道:"那有什么关系?现在,你去把那块黑色的石头拿过来,我们的婚礼就可以开始了!"

周罡犹豫了一下,终于弯腰去捡那块宝石。

"砰!"

忽然枪声响起,将整个地下神殿震得嗡嗡作响。

趁着所有人被枪声震得愣住的时候,周万良一个箭步冲上来,一把将那块宝石抓在手里,接着敏捷地跳开,举枪指着其他人,大吼道:"你们都别动!"

机长大惊道:"你想干什么?"

"干什么?"周万良狞笑道,"当然是要这块石头!没想到在这荒山野岭竟然还有这样的宝贝,"说着把那块黑色宝石放在嘴边吹了口气,"只要有了它,我的后半辈子就不用愁了!"

陶骏大声道:"把它放下,这不是你的东西!"

周万良冷笑道:"老家伙,你是不是当英雄当上瘾了?告诉你,我这枪里的子弹刚好够给你们每人一颗!谁活得不耐烦了就说句话,老子送他上路!"

他的话音未落,龙飞忽然道:"喂,我劝你还是赶快把那东西扔了。"

周万良把枪口指向龙飞,狂叫道:"你是要找死吗?"他的脸因为激动而扭曲,看起来随时会开枪。

机长连忙劝阻他:"有话好好说,千万别冲动!"

龙飞却不害怕,不紧不慢道:"我是好心才提醒你,如果你现在还不把那东西扔掉,恐怕就真的不用担心后半辈子了……"

周万良大声吼道:"你别想威胁我!"

龙飞叹了口气:"现在已经晚了,你的后半辈子大概还剩下一分钟。"

周万良恼羞成怒,狂叫道:"我现在就杀了你!"

陶骏忽然飞起一脚,正踢在周万良持枪的手腕上。吃痛之下,周万良的手枪脱手向龙飞的方向飞过去。

龙飞伸手接住枪之后没有半点犹豫,甩手就向周万良开了一枪。

"砰!"

所有人都被这一声枪响惊呆了,他们实在不明白龙飞为什么要开这一枪。

陶骏怒道:"你开枪干什么!"

"为了救他的命!"龙飞叹了口气,"不过还是太晚了。"

还没等陶骏有时间琢磨龙飞的话,周罡忽然发出一声惊呼:"看!他的手!"

那一枪打在周万良的手腕上,把他的手腕打得粉碎,只剩下几缕皮肉连着,奇怪的是伤口里却没有血流出来。众目睽睽之下,手臂和手掌的断口上同时伸出无数黑色细丝。这些细丝飞快地互相扭曲纠缠,转眼之间已经结合在一起,把断手和手臂接了起来。

这一切连周万良自己都看得目瞪口呆,惊讶地合不拢嘴,茫然道:"你干了什么?我怎么什么都感觉不到?!"

龙飞耸耸肩,"说实话,'你'已经死了。"

"胡说!"周万良大声叫嚷着举起手,"看!我还活着!"却发现别人都在用惊异的眼神看着他的手,他本能地也抬头看过去,这才发现那块黑色宝石已经有一大半深深镶入他的手掌里,宝石周围的皮肉全都变成了死黑的颜色。

惊恐之下,周万良对新娘大声吼叫道:"这是怎么回事?"

"不用担心,"新娘脸上还是带着甜美的微笑,"很快就会结束了。"

龙飞道:"在那之前,我建议咱们还是赶快离开得好。"

陶骏道:"你是说把他留在这里?这是见死不救!"

龙飞正色道:"首先,他已经死了,即使是基督耶稣来了也没法救他;其次,要是你们不赶快跑,死的就不是他一个了!"

那种死黑色沿着周万良的手臂向上蔓延,所到之处,他的手臂像吹气玩具一样飞快地膨胀起来,转眼间粗了不止一倍。"兹啦"声中,衣服被膨胀的身体撑开,露出宝石般黑亮的肌肉。

周万良发出凄厉的哀号:"不要,我不要死……"接着开始大口呕吐,再也说不出话来。这时他的身体已经有一半变成死黑色,同时在手肘和肩头还长出几支弯曲的血红色尖角。强烈的邪恶气息从他身上源源不断地涌出来,即使是普通人也能清晰地感觉到。

机长颤声道:"我看……咱们还是赶快跑吧!"这次陶骏也不再有任何异议,"嗯"了一声,拉上还在目瞪口呆的周罡冲出地下神殿。

龙飞走过去弯腰把木然不动的宁汝馨扛在肩上,回头对新娘道:"也给你们一个建议:这东西不是你们能应付得来的,赶快跑吧!"

"谢谢你的忠告,"新娘对龙飞嫣然一笑,"不过几百年来我等的就是这个时刻,总不能临阵脱逃吧?"

龙飞叹了口气,扛着宁汝馨走出去。

新娘对白钰和白坼道:"你们也走吧。"

两个人一愣,白坼呆呆道:"但是,妈妈……"

新娘忽然声色俱厉道:"没听到吗?我让你们滚,越远越好!"

白坼和白钰都被吓了一跳,再不敢多说什么,急忙退了出去。

看着他们离开,新娘面纱下的脸上这才露出一丝苦涩的笑容,"不管是怎样污秽的血缘,你们总是我的孩子……"

新娘走到门边,伸手在墙上按了一下,墙壁上雕刻的花纹间闪过一道光辉。然后她转过身面对着周万良,这时的他已经完全变成了一个通体漆黑的妖魔,趴在地下"呼呼"喘着粗气。

"现在,这里只剩下你和我了。"新娘摘下面纱,缓缓向"周万良"走去,"我的'新郎'啊……"这两个字里面没有半点爱意,却凝聚了几百年刻骨的怨毒和仇恨。

走到身前,新娘举起有些颤抖的手,向那只怪物的额头挥下去。

就在这时,一个阴冷的声音响起:"笨兔子……"

第十二章
黄　泉

宁汝馨拍打着龙飞后背，大声道："放我下来，快点！"

"哦，你醒了？"龙飞把她放下来，"我还以为你以后就这样了呢。"

"我刚才是被白雪的法术封住了行动，只要离开她一段距离，这个法术就失效了！"顾不上整理自己凌乱的头发，宁汝馨一边说着，一边把披在身上的红绸子扯下来。

这时陶骏和机长带着周罡跑回来找他们，陶骏气喘吁吁地问道："那是什么东西？"

宁汝馨道："黄泉！"

"那是什么？"

"没时间解释了，"宁汝馨焦急道，"快去告诉其他人，赶快逃命吧——跑得越远越好！"其他人虽然莫名其妙，不过看宁汝馨惊慌的样子不像是开玩笑，急忙跑回去通知其他人，只剩下龙飞留在宁汝馨身边。

白坼和白钰匆匆走来，脸上都是不解的神色。

宁汝馨问道："白雪呢？"

白坼道："妈妈让我们滚，她还留在那里。"白钰接着道："现在那里已经被封闭在结界里了，谁也进不去。"从这里看过去，能看到地道入口的那座房子被一层淡淡的白雾笼罩，只能看到一个模糊的轮廓。

宁汝馨一听就急了，"她真的想那么干——太胡来了！"

龙飞奇怪道："你知道那只兔子想干什么？"

宁汝馨道："她想复仇，向黄泉复仇！"

白钰愕然道："妈妈要向黄泉复仇？为什么？"

"因为黄泉杀了她的主人,她要为主人报仇!"

白钰不解道:"为什么是现在? 黄泉一直在这里,妈妈要报仇的话随时都可以的!"

"因为黄泉太强大了,她知道自己根本没法伤害到它,所以她在等一个机会——就是今天。"

"但是这个婚礼呢?"白圻摸着他的大头,呆头呆脑道:"妈妈不是要嫁给得到身体之后的黄泉吗?"

宁汝馨叹了口气,道:"如果你知道她过去的经历,就知道婚礼对她意味着什么了!"

龙飞道:"你说她在等今天的机会,那是什么?"

"她相信当黄泉得到身体之后,会有一段时间变得很脆弱。可是,她也不知道自己是怎么知道这件事的。"说到这里,宁汝馨迟疑了一下,担忧道:"我怀疑这是黄泉在她心里埋下的一个暗示,让她有在仇恨和绝望中活下去的动力,从而利用她帮自己作恶!"

白钰惊讶得张大了嘴:"这怎么可能?"

宁汝馨冷冷道:"如果你知道那个黄泉的真面目是什么,就不会觉得不可能了。"

"你知道?"

宁汝馨缓缓点头:"虽然不能肯定,但这种感觉应该不会错——它是个恶魔,而且是个非常强劲的恶魔——甚至可能和沙尔达一样强大!"

白钰莫名其妙道:"恶魔? 那是什么? 沙尔达又是谁?"

"你们这里的信息实在太闭塞了。简单地说,恶魔就是外国的邪神,永远和善神为敌的存在。"虽然很不贴切,不过现在总不是讲解西方神话知识的时候,"不知道他怎么会从欧洲来到这里,而且还失去了自己的身体。"顿了顿,宁汝馨又道:"沙尔达是我见过最强的一个恶魔。他也是月炎很久之前的祖先,曾经在她们家族的封印之岛上休眠了很长一段时间。不过从那之后就再也没出现过,不知道现在在什么地方。"后面这些话是对龙飞说的。

火灵使白烜和水灵使白沐先后赶来,几乎是同时开口焦急道:"妈妈怎么样了?"

白钰道:"她把自己和黄泉变成的怪物封印在结界里,现在也不知道发生了什么!"

宁汝馨断然道:"那就去把结界打开! 你们应该知道打开的方

法吧?"

几个兔妖面面相觑,都露出为难的神色,白坼摇头道:"这些结界都是原来留下来的,我们都不会用。"

"让我来吧。"

循声回头,宁汝馨看到恢复人形的白菱走过来,柳月和朱琪琪跟在她后面,然后是侯天粹和常湘良,他们两个看到龙飞,异口同声道:"师父,我来帮忙了!"

龙飞一愣,笑道:"我什么时候升级成师父了?"

宁汝馨可没心情闲扯,顿足急道:"你们怎么还不走? 这里太危险了!"

柳月撇嘴道:"你们怎么能把我扔下?"

朱琪琪低声道:"我想看看有什么可以帮上忙的!"

侯天粹和常湘良忙不迭地道:"是啊是啊,我们也是!"侯天粹抢着道:"你不是要对付妖魔鬼怪? 我们什么都不怕!"常湘良摆个健美的POSE,"而且很强壮!"

这边闹得不可开交,"五灵使"那边却是一片沉默。

白烜首先打破沉默,对白菱道:"你还能打开这个结界吗?"

白菱点点头,"可以。虽然我的妖力被封印了,不过打开这些结界需要的不是妖力,而是正确的方法。"

白沐高声道:"那你还在等什么? 快去把那个该死的结界弄开!"发现别人都在瞪着她,这才意识到自己的态度有点"不合时宜",只好补救道:"算我求你了!"

白菱不去理她,道:"我需要一个人帮忙。"

侯天粹抢着答应:"我去,我去!"跟在白菱后面走了。

龙飞奇怪道:"他怎么这么积极?"

常湘良举手道:"我来检举揭发! 他说要趁这个美女没被龙哥——啊,应该是师父才对——迷住之前先下手为强! 师父,你一定要提防这小子的狼子野心啊! 还是我比较老实,就算学到了独门秘籍,也决不会和师父您争美女……"

"打住、打住!"龙飞急忙阻止他继续说下去,哭笑不得道:"这都是什么跟什么……"

白烜犹豫一阵,这时忽然道:"我过去看看。"说完向白菱那边快步走过去。

柳月问白钰:"白菱姐姐到底是做什么的?"

白钰看看其他人,然后道:"她原来是'五灵使'中的木灵使,专长是设置和解除结界或者封印,村庄周围的桃林结界就是经过她调整和加强,才变成现在这个样子的。"宁汝馨和龙飞这才明白为什么白菱能这么轻易就带着他们穿过桃林结界。

远远地传来侯天粹的声音:"好了!"然后就看到笼罩在房屋上的白雾逐渐散去。

宁汝馨道:"你们在这里等着,我下去看看!"

白沐不满道:"为什么是你?应该我去!"说着一个箭步冲进去。宁汝馨无奈,只好跟在她后面进去,白钰道:"我也去!"说着跟了进去。

阶梯尽头,地下神殿的大门虚掩着,里面一片漆黑,静悄悄地没有半点动静。

走在最前面的白沐伸手推开门,轻声道:"妈妈,你在这里吗?"

黑暗中传来模糊的声音:"啊,我可爱的孩子们!"

白沐欣喜道:"妈妈!"正要进去,却被宁汝馨一把抓住。白沐怒道:"你干什么?!放手!"

宁汝馨喝道:"看清楚,这个不是你的妈妈!"她身后展开九条蓬松柔软的大尾巴,每条尾巴上都有青白色的火焰流转飘忽。其中两条尾巴一甩,上面的火焰向房间里面激射而出。

"砰!"火焰炸开,大大小小的火苗飞得到处都是,却没有很快熄灭,而是附着在周围的墙壁上继续燃烧,把整个地下神殿照得亮如白昼。

火光中,一个狰狞的高大身影站在神殿中央,足有三米多高,通体漆黑,闪耀着黑耀石一般的光芒。他的额头上向上长出三根尖角,看起来好像王冠一样。在他背后,一条水蛇样的尾巴不停扭动,还有一对破破烂烂的膜质翅膀。

白钰和白沐都看得呆了,前者喃喃道:"这个怪物就是'恶魔'?"

"应该没错!"接着宁汝馨提高声音问道:"白雪在哪里?"

恶魔狰狞的脸上露出一个类似笑容的表情,"笨兔子?"拍拍肚子,"在这里。"它的声音好像地狱中刮出的阴风,令人毛骨悚然。

白钰又惊又怒,"你把妈妈吃了?!"

"先是她,然后就是你们。"恶魔向她们走过来,狞笑道:"这个身体不是我选中的那个,浪费了我太多能量,所以现在我很饿,而你们的灵魂就是我的早餐!"举起手凌空一抓,白沐身不由己地被它摔过去,在空中变回原形——同样是一只小白兔。

恶魔伸手捏住白沐的脖子，把她放在鼻子前面闻了闻，"味道不错！"张开血盆大口正要咬下去，只听"砰"的一声枪响，一颗子弹呼啸着射进它的嘴里，打断了好几颗歪歪扭扭的尖利獠牙。

恶魔痛哼一声，随手把白沐扔在地下，举起手挡住另外两颗子弹，子弹打在它身上如同打在钢铁上一样，在"叮叮"碰撞声中弹飞开来。

宁汝馨惊喜道："是你！"来的正是龙飞。

"崇拜的话以后再说，现在快走！"说着，龙飞又开了一枪。

白钰趁机将变回原形的白沐抢回来，接着慌忙冲出神殿。

龙飞又扣下扳机，不过这次手枪里却只发出"喀"地一声轻响，没有子弹射出来。龙飞把手枪向恶魔扔过去，恨恨道："这家伙居然敢骗我！破枪里根本没剩下几颗子弹！"还要说下去，宁汝馨拉起他的手，把他从神殿里硬拽出来，"快走！"

白钰在地道出口大喊道："快出来！"等宁汝馨和龙飞出来地道，她回头对白垆大声道："动手吧！"

白垆手持一把纯钢大锤，看起来得有三四百斤重，大吼一声："喝！"大锤猛抡，轰然巨响中，地道入口被他砸得整个塌了下去。

龙飞赞道："好大的力气！"

宁汝馨道："这样根本没用！"

"我知道，不过至少可以争取到一点时间！"白钰拉起他们就向外走，同时道："白菱和其他人正在改造这里的结界，等完成之后就能把这个怪物封印起来！"

刚走出屋门，就觉得脚下地面一阵摇晃，感觉就像是乘船在波涛汹涌的海面上，让人一阵眩晕。随着震动，大地上裂开一道道狭长的缝隙。

龙飞大声道："是地震吗？"

"不是！"宁汝馨惊恐地看到一丛丛火焰从地面的裂隙中窜出来——黑色的火焰！

不断涌出的黑火将周围完全封住，迫得那些正在准备封印的人不得不离开自己的位置，向中央小屋这边来。

侯天粹大声咋呼："天！这些火是黑色的！"

常湘良指着坍塌的地道口，"这里也有！"那些黑火像水一样从岩石的缝隙里"渗"出来，开始还是一点点小火苗，很快就变成熊熊燃烧的烈焰，充斥了整个房间，还从门口向外探出一条条伸缩不定的火舌。如果近距离观察这些黑色的火焰的话,隐约可以看到里面有一张张扭曲变形的人脸,好像正在发出痛苦的哀号。

宁汝馨脸色惨白,喃喃道:"这次真的不行了……"

"怎么会!"龙飞居然还能笑得出来,"没听说过车到山前必有路吗?"

"路?"宁汝馨茫然摇头,"这周围都是火,哪有什么路!"

"上面!"龙飞诡秘一笑,"看,我们的'路'来了!"

天空中传来旋翼的轰鸣声,接着强烈的气流从上面猛吹下来,把那些逐渐逼近的黑火推开一段距离。

一架直升机从天而降,悬停在他们上方。有人喊道:"我们是救援队!你们坚持住!"一条绳梯从上面扔下来,垂在宁汝馨他们面前。

龙飞大声道:"柳月,你先上!"不由分说把柳月抱起来放在绳梯上,"往上爬!"接着是朱琪琪。然后是侯天粹和常湘良,那几个兔妖现出原形,挤在他们的背包里带上去。

只剩下宁汝馨和龙飞,龙飞道:"狐狸,你上去!"

"你来吧,我飞上去!"

龙飞一拍脑袋,笑道:"我怎么把这茬忘了!"再不多说,抓住绳梯向上爬去。宁汝馨则变成一只通体雪白的小鸟,飞起来跟在他身边。

当龙飞爬到一半的时候,忽然上面传来柳月的惊呼声:"小心!"一个黑火球呼啸着从直升飞机旁边飞过,险些打中直升机的尾翼。

直升机猛地向上拉升,躲过接连飞来的火球。

其中一颗火球从直升机下飞过,流窜的火苗在绳梯上掠过,在绳梯上留下一小团火焰。火焰燃烧,转眼间已经烧断了一根绳子,接着向另一边迅速蔓延。

龙飞身形一坠,挂在绳梯上摇摇欲坠。

宁汝馨尖叫道:"你怎么样了?"

龙飞苦笑道:"看来不太妙……"说话之间又向下沉了沉,"今天吃晚饭的时候就不用等我了……"话音未落,绳梯再也坚持不住,从中间断开。龙飞从半空中摔落下去,掉进下面熊熊燃烧的黑火"森林"中。

宁汝馨发出一声痛苦的哀鸣:"不要!"她几次试着俯冲下去,却都被黑火的烈焰挡回来。在空中盘旋几圈,只好无奈地飞进直升机打开的舱门,接着变成人形,抱住柳月伤心痛哭起来。柳月反抱住她,在她背上轻轻拍打着。

其他人都看到了刚才那一幕,一时间机舱里只有一片沉寂。

有人走到宁汝馨身边，"我们又见面了。"

宁汝馨茫然抬头，当她看清楚那人是谁的时候，脸上露出惊讶的神色，"你怎么会在这里？"

"我现在是保险公司的事故调查员，这是我的工作。"那人笑了笑，"没办法，这也是为了过日子，什么时代都一样。"

宁汝馨激动道："如果是你的话，一定能救他吧！"

那人一愣："救谁？"

"龙飞！"宁汝馨抓住那人的手臂，乞求道："我求你救救他！只要能救他，你让我做什么都行！"

那人更奇怪了："为什么？"其他人心中都叹了口气。且不说下面的黑火森林，只是从这么高的地方掉下去，生还的可能性就是微乎其微的。

宁汝馨道："因为……因为我喜欢他！"

那人挥挥手，"不是这个问题……唉，算了，反正我也得去看看的。"他推开宁汝馨走到舱门口，回头对宁汝馨道："别太伤心，否则我保证你会后悔的！"在其他人愕然的目光中，他纵身从舱门里跳出去。

侯天粹惊呼道："他没带降落伞！这家伙是不是疯了？"

柳月问宁汝馨道："你认识他？"

宁汝馨眼中又燃起一线希望，点点头，道："他是恶魔，'撒旦的左手'沙尔达！"

第十三章
碎 片

黑火中的一小片空地上，龙飞翻身从地上爬起来，活动一下身体，"还真有点疼！"

黄泉的声音从四面八方传来："卑微的人类，把你的灵魂献给我吧！"

龙飞拍了拍身上的尘土，摇摇头叹了口气，道："看来你的记性真的不太好……"几团黑火向他扑来，却在他周围一米的地方无声无息地熄灭，好像被一道无形的屏障吸收了。"可能你连自己是什么都不知道吧？"

这句话好像说到了黄泉的痛处，停了一会这才道："难道你知道？"

"我当然知道！"龙飞嘿嘿一笑，"要我告诉你吗？"

黄泉的声音大吼道："告诉我！"同时他庞大的身躯从黑火森林中冲出来，站在龙飞面前低头威胁地瞪着他。

龙飞不紧不慢道："你是一个碎片。"

黄泉愣了一下，狞笑道："我是个碎片？你胡说！我是恶魔！是吞噬人类欲望和灵魂的黄泉！"

"这些都是别人告诉你的吧？'恶魔'这个词还是刚才听狐狸说的，至于黄泉，应该是原本在这个村里的人给你取的名字。说到底，你根本没有过去记忆，因为你只是一个碎片，仅此而已。"

"我不相信！"狂吼声中，黄泉举起双手向龙飞挥下来，带着令人窒息的强大魔力。

蓝光一闪，黄泉抱着胳膊向后摔出去，然后才发出一阵凄厉的惨叫。

一只宽阔的膜质翅膀从龙飞背后伸出来，弯下来挡在他身前，翅膀上细小的蓝色鳞片闪烁着炫目的宝蓝色光辉。"我的翅膀比你的好看吧?"龙飞对此颇为得意。

黄泉的两条手臂都是血肉模糊。刚才攻击龙飞的魔力被尽数反弹回来,将他自己的胳膊震碎。和被普通子弹打中的伤痕不同,这种魔法造成的破坏损伤了黄泉的灵体结构,不是一段时间内可以复原的。

"你不是人类!"黄泉吼叫道,"你到底是什么东西?!"

龙飞伸出食指在眼前晃了晃,怪笑道:"你猜吧!"

黄泉怒吼道:"我怎么会知道!"

"我可以给你一点提示。"说着,另一只翅膀从龙飞背后伸出来,两只翅膀斜斜向后展开,暴风一样狂暴的魔力以他为中心宣泄而出。周围的黑火都被这强大的魔力压了下去,让开一大片空间。

恐惧、死亡、压迫感……过去从来没有出现过的词一下子从黄泉心底最深处冲出来,转眼间把它的灵魂淹没。

"怎么样?"龙飞把手放在口袋里,笑嘻嘻道:"想起什么来没有?"

黄泉喃喃道:"这种颜色……这种灵魂的颜色……我应该是见过的,我肯定见过! 我……"它再也发不出声音,因为一把黑色的长剑从它脖子上一划而过。黄泉的头颅高高飞起,在空中划了个弧线掉进一旁的火堆里,它的身体这才轰然倒地。在它身后,沙尔达西装革履,手持一把黑色长剑站在那里。

"结束了。"沙尔达手中的黑色长剑凭空消失。这把剑和他的盔甲一样,就像是他身体的一部分,随时可以召唤出来。

龙飞皱起眉头,看起来颇有些不满:"你很多事啊! 好吧,就由你来替它回答这个问题好了。答对有奖,答错受罚!"他把身后的翅膀收起来。

沙尔达一愣,"什么问题?"他和龙飞已经不是第一次见面了,不过还是弄不明白龙飞到底在想些什么。

"我是什么?"

沙尔达愕然道:"我怎么会知道?"他也曾经问过龙飞这个问题,龙飞的回答是让他"猜"。

"好吧,换一个问题。"龙飞指着黄泉的无头尸体,"它是什么?"

"好像是一个恶魔,不过并不是我认识的。"

龙飞坏笑道:"恭喜你,答……错了! 所以,你得受罚!"

沙尔达骇然向后退开一步,"为什么?"他还记得上次被这个怪物一击打成半死,虽然后来又被他救活,不过那种恐怖的感觉还是让沙尔达心有余悸。

龙飞摆手道:"首先,这家伙并不是'一个'恶魔,其次,你也应该认识'它'。"

沙尔达愕然道:"我认识?"

"不要说你连过去的老板是谁都忘了!"

沙尔达道:"你说它是撒旦大人?不可能!撒旦大人现在在魂之深渊沉眠……"

龙飞走到黄泉身边,"这就是他'沉眠'的原因之一。"伸指凌空一挑,一颗桃核大小的黑色宝石从黄泉身体里飞出来,落在龙飞手上。

"这是……灵魂的碎片!"

"没错,"龙飞把那块宝石在手指间来回滚动,"这就是撒旦灵魂的一部分。如果我记得没错,这样的碎片应该还有很多。"把宝石向沙尔达举了举,"你想不想要?"

沙尔达想了想,道:"算了,既然我已经退休,拿着这种东西恐怕会惹来不少麻烦。"接着不解道:"撒旦大人的灵魂碎片怎么会出现在这里?"

"灵魂这种东西很容易超过空间的限制,所以当时这些碎片可能撒得满世界都是。不过经过这么多年,能剩下来的应该不是太多。"

沙尔达忽然想到一件事,"你怎么会知道这些事情?难道……"撒旦受伤的原因一直是个谜,就算是他最亲近的左右手也不得而知。

龙飞摆摆手:"产业秘密!"既然他这么说,沙尔达只好作罢。

龙飞又问道:"你怎么会在这里?"

"我现在是保险公司的事故调查员,这次是来寻找失踪的客机,没想到你们在上面,而且还碰上这种事情。"

"事故调查员?那就是高收入的白领了!这样吧,你请我吃顿饭,就算作对你回答错误的惩罚了。"龙飞不容沙尔达有半点反驳的机会,"哦,还有,这里的善后工作也交给你了。"说完转身就走。

沙尔达叫住他:"你去哪里?"

龙飞停下,道:"在这附近转转,看能不能找到什么有趣的东西。"没有黄泉的魔力支持,那些黑火逐渐熄灭,露出一片片焦黑的土地。

沙尔达心想:你这种行为就叫趁火打劫,不过当然不会这样说出来,道:"我们在飞机坠毁的地方发现了你们建立的临时营地,撤出来的人也都疏散到那里,你最好也赶快过去。"顿了顿,道:"他们都以为你死了,虽然我说不用担心,不过恐怕很难让他们放心。特别是那只小狐狸,她很伤心。"

龙飞愣了一下,然后叹了口气,"走吧,你带路!"

几天以后,妖魔猎人协会武汉分部。

"大概就是这样。"月炎把电脑关上,揉揉眼睛,然后站起来伸了个懒腰,长舒一口气,"总算把这个该死的报告弄完了,六千多个字啊,手腕都酸了!而且连点辛苦费都没有,我这是何苦来啊!"

宁汝馨坐在一旁的沙发上,道:"我可以帮你写报告的。"

月炎道:"那些兔子就够你忙的了,这些事还是我来做吧!"咬牙道:"就是便宜了龙飞这小子,躺在医院里什么都不用干!不过说起来,他能活下来还真是奇迹。"

宁汝馨道:"多亏了沙尔达把他从那个恶魔手里救下来!"

"啊,那个自称我的曾曾曾……祖的家伙!"提起沙尔达,月炎好像想起来什么,道:"他说这里的工作已经结束了,明天就要回公司去。"摇摇头,笑着自言自语道:"保险公司的事故调查员?真不知道他是怎么找到这个工作的……"

宁汝馨道:"他都发现了什么?"

"什么都没有,不过这已经没什么关系了。保险公司会把这次的事故当作普通的空难进行赔偿,这也是妖魔猎人协会的意思。对了,那些人都不记得这件事了吧?"

宁汝馨点点头:"他们只记得自己乘坐的飞机迫降在森林里,风餐露宿三天之后被救援队发现了。至于那个周万良,他们会认为他是在野兽袭击时失踪的。"不知道出于什么目的,沙尔达用魔法改动了机组人员和乘客们的记忆。在救援队把那些人送到张家界市的第二天,他们就分别转乘飞机离开了。

"周万良?啊,那个毒品贩子!"月炎想起来,"对了,刚才周罡从家里打电话来,说他的父母已经被警察救出来,其他的毒贩也被抓住了。"

宁汝馨点点头:"那太好了。"

月炎道:"那些兔子的情况怎么样了?"

"很不好,其中大部分都死了。"宁汝馨神色有些黯然,"他们受黄泉的影响太深,现在没有了黄泉提供的魔力,他们之中恐怕只有最强壮的才能活下来。"

"能有多少?"

"不会超过十个。"说完，宁汝馨叹了口气。

月炎同情地看着她，"这就是他们的命运，我们都已经尽力了。不管怎么说，这种大规模的妖化都是不正常的，其中的大部分根本没有成为妖怪的资质，只不过是被那个恶魔的力量'拔苗助长'的牺牲品。对他们来说，死亡也许还是一种解脱……"接着换了一种语调，"从好的方面看，至少还有能活下来的不是吗？"见宁汝馨还是郁郁寡欢的样子，月炎又道："对了，我昨天去医院看龙飞了。"

宁汝馨急切道："他的伤怎么样了？"

"快死了。"见到宁汝馨脸色一下变得苍白，月炎"扑哧"笑出来，"骗你的！那家伙今天就要提前出院了，据说是因为不喜欢那里的伙食。"宁汝馨"哦"了一声，什么都没说。月炎继续道："他问我为什么总是见不到你，连他住院的时候都不来看看。我说你正在这里忙着救那些兔子的命。"宁汝馨还是"哦"了一声。月炎道，"不过你也真是的，至少应该去看看他吧？难道……你是故意在躲着他？"

宁汝馨勉强一笑，"我为什么要躲着他？"

月炎怪笑道："并不是所有人的记忆都被修改过啊，柳月跟我说，你在龙飞从直升机上掉下去的时候都快伤心死了，还说……"

宁汝馨的俏脸涨得通红，"不要说！"

月炎停下来，"好，我不说。"看了看表，道："现在他应该已经办好出院手续了，你到医院去接他吧！"

宁汝馨红着脸道："为什么是我？"

"不是你，还是我啊？"月炎不由分说把宁汝馨向门口推去，"快去，加油啊！"

这时房门打开，沙尔达走进来，看到月炎和宁汝馨的样子，奇怪道："加油干什么？"

月炎笑道："为了小宁的终身大事，当然要加油啊！"

"狐狸要嫁人了？太好了！"龙飞从门外兴冲冲地跑进来，"新郎是哪里的妖怪帅哥？"

宁汝馨把脸一沉，"谁说我要嫁人！"

月炎见事不妙，急忙岔开话题，问龙飞道："你的伤已经好了？"

"精神百倍！"龙飞挥舞着拳头，"为了庆祝不用再继续吃那难吃的病号饭，也为了预祝狐狸的婚姻幸福美满，我们找个地方撮一顿吧！"

宁汝馨生气道："我说了不要嫁人！"

沙尔达道:"我已经在滨江楼订了座位,现在就过去吧!"

月炎奇怪道:"你请客?"

沙尔达苦笑,"对!"

深夜,长江大堤上凉风阵阵。

宁汝馨看着龙飞,"你叫我出来干什么?"

龙飞神秘一笑,"有件东西给你。"拿出一个寸许立方的小盒子,"就是这个。"

"什么?"

龙飞莫测高深道:"打开看看!"

宁汝馨打开盒子,看到一颗杏仁大小的淡蓝色宝石在月光下反射着冷艳的光辉,惊讶道:"你从哪里弄的?"

"路边小摊上买的。虽然是便宜货,不过看起来你戴很合适。"

宁汝馨脸上一红,"谢谢!"

龙飞笑道:"戴上看看!"

"嗯!"宁汝馨小心地把那块宝石拿出来,发现它是镶嵌在一个金属环上,镶嵌的工艺十分考究,怎么看也不像是路边摊上买的。问题是,这个金属环的直径大概有半寸,说是戒指未免太大了一点,当作手镯的话又太小了。

宁汝馨愣了一下,"这是什么?"

"我称作'尾环',戴在你的尾巴上一定很漂亮!"

"尾巴?"宁汝馨愣了一下,这才勉强挤出一个笑容:"是啊,尾巴,你不说我差点都忘记了。"

龙飞奇怪道:"怎么了?"

宁汝馨摇头,淡淡道:"没什么,谢谢你的礼物。"顿了顿,道:"我们回去吧。"

这时龙飞的手机响了,月炎的声音从里面传来:"你们跑哪里去了?快点回来,又有新工作了!"

卷二　悪魔往生

第 一 章
迷 路

一个阳光明媚的日子，妖魔猎人协会总部。

会长柳卓群把一个档案袋放在桌子上，"这就是这次工作的资料。"看着月炎，淡淡地不带任何表情。

月炎拿起，把里面的资料拿出来大略看了看，然后把档案袋放回桌上，"四川？这也太远了吧，你的外孙女可是刚刚才从武汉那边回来啊，在那里还解决了两个抢劫银行的恶鬼，清理了一家公司的诅咒……"

柳卓群挥手打断她，"你想说的是这个工作没多少油水，对吧？"

月炎也没否认，撇嘴道："还用说吗？只是一个妖魔猎人行踪不明，到现在还连失踪都算不上！干这种工作能拿到什么报酬？"

"正好，其实我也没想你会接受这个工作。"柳卓群看着旁边的宁汝馨，"宁小姐，我希望你能接受这个工作。"

宁汝馨吃了一惊，"我？"

柳卓群肯定地点点头，"是的，其实我最早就是这么打算的，所以才把你们都叫过来。"

宁汝馨愣了一下，"为什么是我？"

"应该说，因为这个地方很敏感。"柳卓群从档案袋里拿出一张地图，指着上面一块被标成红色的区域，"这座山中小城的居民中至少有百分之三十是妖怪，而且其中不少都有相当深的道行。那里可以说是妖怪的自治区，协会的妖魔猎人一般不会靠近这里，以免产生不必要的误会。"

"妖怪的自治区？"月炎撇了撇嘴，"那为什么又会有妖魔猎人在这附近失踪？"

"那个人是去调查另一个事件,顺着线索追查到那附近的,不过在三天前突然和总部失去了联系。我们当然不能放任不管,虽然不知道和这座城里的妖怪有没有关系,但是总有调查的必要。因为那座城里的妖怪都很敏感,不欢迎有灵力的人类干扰他们的生活,不过宁小姐就没有这个顾虑了。事实上,这也是经过我和他们的镇长沟通,得到他同意的。他还说很高兴能见到一个同类——对了,封岩镇的镇长叫苏岚,也是个妖狐。"

月炎不满道:"你是说让小宁自己去那个妖怪窝?这也太危险了吧,并不是所有的妖怪都愿意讲道理的!"

"封岩镇的妖怪虽然传统而固执,不过倒并不是不讲道理。"柳卓群看着宁汝馨,"怎么样?你愿意接受这个工作吗?哦,至于酬劳……"

还没等她说完,宁汝馨忽然道:"我愿意。"

月炎急了,"你怎么就这么答应了?至少也得讲讲价嘛!"后面这句才是重要的。

"好,就这么定了!"柳卓群看了看房间里古老的座钟,然后按下桌上的一个按键,"欧阳,你进来一下。"

一个秘书样的年轻女子走进来,"会长。"

柳卓群点点头,对宁汝馨道:"这位欧阳雯小姐现在就和你坐飞机到成都,然后她会安排你到封岩镇。"

欧阳雯对宁汝馨微微一笑,"请跟我来吧。"

宁汝馨愕然道:"现在就出发?"

"没错。你的行动越快,找到失踪者的可能性就越大。至于旅途上的事情,欧阳会安排。"

宁汝馨当然不能反驳这个理由,看了看月炎和龙飞,然后跟着欧阳雯走了出去。

她们走了之后,一时间没有人再说话。

过了一会,柳卓群忽然道:"你们担心她?"

一直没说话的龙飞笑道:"她应该能照顾自己吧?"

月炎没好气道:"应该没我们的事了吧?我要回去了!"

"唔……事实上,还有一点事情我想你们会感兴趣,是关于东方剑的。"

月炎正要转身出门,闻言停下来,回头道:"他不是回家了吗?"

"其实那个失踪的妖魔猎人就是去调查蜀山派的。"

月炎皱起眉头:"为什么?"

柳卓群道:"前两天从某些不太确切的渠道传来消息,在川南山区里有个新兴的邪教在活动,而这个邪教中的主要干部似乎是蜀山派的门人。当然这个消息并不一定正确,不过协会还是在当地政府委托下派人去进行调查。"

月炎撇撇嘴,"调查邪教应该是警察的事情吧?"

"警察可对付不了能驱神御鬼的家伙。"顿了顿,柳卓群又道:"这就是我们这些人的责任了。"

月炎哼了一声,却知道说得不错,妖魔猎人协会本来就是一个半官方的机构。接下去道:"然后那个人就失踪了?"

"没错,就是这样。"

"那你为什么要调查那些妖怪?只要去找蜀山派要人就行了,肯定是他们为了掩盖自己的行径才绑架了派去调查的人——甚至已经杀人灭口了!"东方剑匆匆而归,虽然没说明原因,不过可想而知是家中相逼所至,所以月炎对蜀山派没什么好感,一口把罪名扣在他们头上。

柳卓群摇头道:"我想不会。方老头虽然顽固,但肯定不会纵容他的门人干这种事情。就算是其他人私自行动,被他知道也难免重罚。"

月炎不服气道:"那会是怎么回事?"

"不知道。"轻叹一声,柳卓群又道:"如果宁小姐能找到那个失踪的妖魔猎人,这个调查就能继续下去了,如果找不到,也就只能当作任务失败了。不过这和你们也没什么关系,虽然这个任务的报酬相当不错。"

月炎的眼睛亮起来,"有多少?"

柳卓群在电脑键盘上敲了几下,"这些。"

月炎毫不犹豫道:"我去!"

汽车引擎的咆哮打破了山间的宁静,惊起树林中的一群飞鸟。它们嘈杂地叫着飞上树梢,好奇地看着这个正在发出阵阵轰鸣的访客。

看着太阳逐渐没入附近山峦的背影,月炎终于忍不住问道:"现在到底是到哪里了?"

"不知道。"龙飞挠挠头,看着后视镜上发了疯一样乱转的指南针,"看来……我们可能真的迷路了!"

"不是可能,是肯定!"月炎气呼呼地道,"所以我才说刚才那个路口应该向右转才对!"

龙飞苦笑道:"是吗?不过那应该是我们第三次路过那个路口了。

第一次左转,第二次右转,第三次又是左转……难道这就是著名的'鬼打墙'?"

"鬼打墙个头啊! 分明是你的方向感太差了,简直是路痴——不对,简直是路障!"月炎大声道,"早知道就应该雇个当地的司机来开车了!"

龙飞小声嘟囔道:"还不是你说要节约开支。"

月炎狠狠道:"什么?"

"没什么!"龙飞拿起地图看了看,"如果我记得没错,我们应该已经到这里了……怎么会看不到一山七剑呢?""一山七剑"是蜀山派所在的剑池山最负盛名的景观,指的是七座高耸入云的山峰挺拔如剑,那应该是在百八十里外就能看到的。

月炎瞥了龙飞一眼,几乎晕倒,有气无力地呻吟一声:"倒了。"

龙飞莫名其妙道:"什么到了? 难道我们已经到地方了?"

"白痴!"月炎扑上去在龙飞头上使劲敲了两下,怒道:"我说你把地图拿倒了!"

龙飞揉了揉脑袋,恍然大悟一般道:"原来是这样,难怪我看着有点别扭!"他们用的是妖魔猎人协会内部特制的地图,为了保密起见,地图上只是将重要地点用红点标出,并没有一个字的注释,所以反过来倒也能看。不过地图角上有标出东南西北的方向,所以像龙飞这样拿反了的情况倒也不多见。

如果不是龙飞正在开车,月炎早就对他拳脚相加,好出胸中这口恶气。她二话不说把地图从龙飞手里夺过来,不过他们已经迷路了不少时间,所以现在就算看地图也搞不清是身在何处了。发动机发出一阵遗言似的哀号,然后停止了运转。短暂的滑行之后,汽车终于停了下来。

月炎叹了口气,"这次又是怎么了?"

"没油了!"龙飞的回答很干脆。

月炎发出一声哀叹,"也就是说,我们被困在这荒山野岭里了?"

"应该是。"龙飞打开车门走下去,向道路两端张望,"要是有车过来的话就好了。"

月炎道:"不太可能吧,从进了这座山,我就没看到过一辆车!"她也从车上走下来,看看道路两旁茂密的树林,朦胧的光线照在树木上,在道路上投下一片片模模糊糊的阴影,"这里鬼气森森的,好像随时都会有什么东西跑出来一样。"

龙飞一拍胸膛,慷慨激昂道:"别担心,我来保护你!"

"保护就免了吧，"月炎撇撇嘴，"要是跑出来一只狼或者一头熊之类的，烤好了就能当晚餐了！"

龙飞颇为赞同，"好主意！"看来这两个家伙都不是动物保护主义者。

不知道是不是这里的动物听到了他们的话，反正两人等到天全黑下来，别说是狼或者熊，就连一只麻雀都没见到。

月炎正恨不得放火烧山，忽然听到龙飞道："嘿，那是什么？"

顺着他所指的方向看去，月炎看到远远的有一团蓝白色的火焰漂浮在空中忽隐忽现，看起来就像是鬼火一样，"难道是这附近的孤魂野鬼？"

龙飞一拍巴掌，大声道："所以我说是鬼打墙嘛！"

"管它是游魂野鬼还是什么，只要把它抓住，让它带我们离开这里就行了！"说着月炎摩拳擦掌，一付跃跃欲试的架势。

"鬼火"越来越近，还伴随着有节奏的"嘚嘚"声，好像某种金属物体在敲击地面。

忽然远远地有人喊了一声："你们是干啥子地？"声音里带着浓重的四川口音。

月炎好像颇有些失望，"是人？"

一辆马车不紧不慢地从黑暗中走出来，刚才月炎他们看到的"鬼火"不过是挂在车棚上的一盏造型奇特的灯火，这盏灯下面是一个大铁盒，铁盒上通出一根管子，苍白的火焰就在管口不停地跳动。火光的闪烁，可以看到驾车的是一位佝偻着腰的老人，头上花白的头发蓬乱地披散着，脸上满是沟壑纵横的皱纹。

一拉缰绳，马车停在月炎和龙飞身边，老人抬起头瞪着龙飞，高声道："你们咋个会在这里？"他的眼睛里精光闪烁，似乎对龙飞两人颇为戒惧。

月炎抢着道："我们是来这里旅游的，结果在山里迷路了。"同时暗中拉了龙飞一下，示意他不要说话。

老人又盯着龙飞看了一会，似乎没看出什么破绽，摇头道："旅游？真是一塌糊涂、一塌糊涂喽！"

龙飞苦笑道："老爷子，你知道哪里能找到汽油吗？"

老人连连摇头，没好气道："莫晓得！"

月炎道："那这附近有没有可以打电话和住宿的地方？"在这种深山老林里手机当然不会有信号，否则月炎早就打电话求救了。

老人还是摇头，"莫晓得！"

月炎道:"这附近有没有一个叫天剑峰的地方?"天剑峰是剑池山一山七峰中最高的一座,蜀山派总舵就在峰顶,也是他们此行的目的地。根据约定,蜀山派会派人到天剑峰下的小城里接他们。

听到"天剑峰"三个字,老人似乎吃了一惊,虽然接着就恢复常态,不过表情已经变得冷漠了许多,冷冷道:"莫晓得!"说完一挥马鞭,在空中打出"啪"的一声。拉车的马得到命令开始举步前行,拉动马车从龙飞和月炎身边走过。

月炎急忙大声道:"喂,老头,老伯,老大爷! 你等等啊!"那个老人却像是聋了一样充耳不闻,径自驱车走了。

眼看着车上的灯火又变成朦胧的"鬼火",龙飞苦笑道:"好嘛,三问三不知!"

月炎一挥手,"走!"

龙飞奇怪道:"去哪?"这时月炎已经蹿了出去,他只好紧赶两步跟上。

月炎头也没回,道:"当然是跟着那个老家伙! 既然他认识路,我们就跟着他,让他带我们离开这个鬼地方!"

马车的速度肯定快不到哪里去,不过不管月炎和龙飞怎么加快脚步,却始终无法追上去。不过那团青白色的火焰始终在视线内忽隐忽现,让他们觉得走的这条路没错。

就这样追了好一阵,直到月挂中天,月炎终于气力不继,停下来气喘吁吁道:"这样追下去非把我累死不可!"

龙飞二话不说,伸手把她拦腰抱起来,继续大步流星地向前面的火光追过去。

月炎又惊又羞,大声叫道:"你干什么! 快把我放下来!"

龙飞边跑边道:"别动,这样比较快!"即使手里抱着个人,他脚下的速度也没慢多少,这种体力简直是充沛到怪异。

月炎急道:"你快放我下来!"

话音未落,龙飞忽然一个急停,稳稳地站在路中间。

他反应这么快,反而让月炎有些吃惊,"你干什么?"

龙飞好像没听到她的话,呆呆地看着前方,喃喃道:"是不是我眼花了,怎么看到两点灯火?"

"什么?"月炎急忙扭头向前方望去,果然看到在远处的黑暗中有两团青白色的火光忽隐忽现。

忽然意识到自己还被龙飞抱着，月炎叫道："放我下来!"

龙飞依言把她放在地下，当他抬起头的时候，忽然"咦"了一声，"怎么又多了一个?"

远处火焰的数量越来越多，开始只是零零星星地出现，然后增加速度越来越快，到最后成片成片的火焰在月炎他们的四面八方——甚至是头顶的天空中——亮起来，火光将寂静的道路和两边黑暗的树林涂上一层诡异的苍白色。

月炎脸色略变，有些紧张道："该死，这是个陷阱! 那个老家伙果然不是个好东西!"惊怒之下，"老爷爷"就变成了"老家伙"。

龙飞掏枪在手，"要不要打下来?"说着打开保险，"锵"的一声将子弹上膛，一副跃跃欲试的样子。

月炎还没说话，忽然有个清脆的童音道："等等，这些孩子没有恶意的，请不要伤害它们。"一个小女孩从森林里走出来，她看起来大概十一二岁年纪，身穿一件崭新的大红棉袄，头上束着两根羊角辫，小脸红扑扑地十分可爱。三四团青白色的火焰在她周围飞舞不定，看起来就像是为她带路，又像是在向她撒娇。她说的也是当地方言，不过声音清脆悦耳，更要好懂得多。

走到龙飞面前，小女孩甜甜一笑道："不要开枪啊，这些孩子只是太兴奋了，想和你们做游戏而已。"说着，几团火焰飞过来，在龙飞和月炎身边盘旋着。从近处看，这些"火焰"和灯火完全不同，却又没有鬼火的苍凉肃杀，而是更加柔和的光线，照在脸上让人感到温温润润的，很是舒服。

月炎挥挥手想把围绕着自己的那团光赶开，那团光灵巧地避开她的手，一个俯冲飞到她身边，紧贴着月炎的脖子飞快地转了两圈，就像是在玩闹的小孩。月炎伸手想去抓住它，却总是被避开。看着她的动作，小女孩发出一阵"咯咯"脆笑，银铃般的声音很是好听。

月炎无可奈何，只好任由那些光团在自己周围盘旋飞舞，向小女孩道："这是些什么东西? 还有，你又是什么?"

"这些孩子是花的精灵，"小女孩伸出手，一团光停在她手上，隐约可以看到里面是一个小小的人形，"它们的寿命只有今晚而已，所以就请你们原谅它们的顽皮吧!"

月炎一愣："只有今晚? 这是怎么回事?"

小女孩并没有立刻解释，而是做了个手势，"跟我来吧!"转身走进路边的树林。几团光跟在她身边，所以森林里虽然昏暗，却不会让龙飞和

奇幻四公子

月炎失了踪迹。

月炎和龙飞跟着小女孩走在树林中的小路上，越来越多的光团聚集在他们身边，在空中舞出绚丽的图案。

"就是这里。"

眼前的景色豁然开朗，月炎忍不住发出一声惊叹："好漂亮！"

面前的山坡上布满了一种不知名的植物，柔嫩的茎叶娇艳欲滴，美丽的白色花朵点缀其间，其中一小部分还是含苞待放，其他的则已经张开白玉般的花冠，在月光下散发出幽幽的清香。山坡上空有无数白色光团盘旋飞舞，月炎很快注意到当每一朵花苞张开的时候，都有一团白光从里面飞出来——看来果然正如那个小女孩说的，这些光团是花的精灵。

眼前奇异瑰丽的景色令人几乎要屏住呼吸，过了好一会，月炎才问道："这是什么花？"

小女孩的声音很轻，好像生怕惊扰了这些花的精灵，"昙花，我是这么叫这些孩子的。"

龙飞笑道："昙花开花的时候可不会有精灵飞出来。"

"它们当然不是'普通'的昙花，"小女孩伸出手，让那些花的精灵停在上面，"它们是花的精灵，也就是你们人类常说的妖怪。只不过，它们的生命和昙花一样，美丽而短暂。"说话之间，停在她手上的一团白光开始变得黯淡，很快就熄灭了，消失得无影无踪。

小女孩轻轻挥手，让手上的白光飞起来，然后回头对月炎和龙飞道："它们没有恶意，只是对一切都充满了好奇，所以才会飞到你们身边。"

不知道过了多久，空中飞舞的光团越来越少，终于连最后一团白光也熄灭了，地面上的花朵也随之枯萎。

月炎喃喃道："这就完了？"

"只是暂时的沉寂，新的生命诞生前的静默。"小女孩轻轻托起一朵枯萎的花，脸上流露出与她的年龄不相称的肃穆表情，"即使再短暂，它们也是美丽的生命，应该得到生命应得的尊敬。"

龙飞深有感触似的点点头，"没错。"

眼前的情景让月炎有些感伤，喃喃道："不过在这么短时间里它们能感受到什么？如果能选择的话，它们也不会想这么快就死吧？"

小女孩愣了一下，似乎有些失神，低声自言自语道："是啊，没有人愿意死吧……"忽然对月炎笑道："我家就在附近，愿意来坐坐吗？"

月炎毫不犹豫道："当然愿意！"她已经猜到这个小女孩不是人类，不过看来她似乎并没有恶意。

小女孩露出一个可爱的笑容，"我叫沈无瑕。"龙飞和月炎也说了自己的名字。

在沈无瑕带领下，他们沿着大路走了没多久就转上一条小路，转了几个弯，一座竹楼出现在他们面前。

月炎忽然注意到竹楼前停着一辆马车，虽然马匹已经被卸下来，车上悬挂的风灯也已经熄灭，不过月炎还是立刻认出来，这就是他们在路上遇到的那辆马车。

正在惊疑不定，就听到竹楼里传来声音："怎么才回来？"接着"吱呀"声中竹楼的房门打开，那个老人从里面走出来。

沈无瑕蹦跳着跑过去扑进老人怀里，"昙花今天开花，我不放心它们，所以过去照看一下。"

老人抚摸着她的头发，脸上满是温柔，"你还是老样子，总是为别人着想……"这才注意到月炎和龙飞，脸色一变道："你们怎么会在这里？"

沈无瑕抬头道："是我带他们来的，你见过他们？"

老人脸上糅杂着紧张和愤怒，狠狠道："他们和天剑峰的那些人是一伙的，说不定就是他们派来的奸细！"

沈无瑕回头看了看月炎，摇头道："可是他们都不是坏人，我可以感觉得到。"

老人摇头道："天剑峰上没一个好人！"

月炎忍不住道："我们只是要去天剑峰，又不是那里的人！再说就算天剑峰上的，也未必没有一个好人！"至少东方剑就不算坏，她心想。

老人咬牙切齿道："凡是跟天剑峰扯上关系的都没有好东西！"

情急之下，沈无瑕不由分说拉着老人走进屋里，月炎和龙飞等在外面，听着竹楼里传来争论的声音，只能相视苦笑。他们不禁奇怪为什么这个老人会对天剑峰有这么强烈的仇恨。

过了好一会，沈无瑕从竹楼里走出来，对月炎歉然道："不好意思，原本想留你们在这里过夜的，不过阿强他不答应。"

龙飞笑道："你爷爷也真够固执的。"

沈无瑕愣了一下，随即笑道："爷爷？啊……嗯……其实，阿强他是我的丈夫。"

月炎和龙飞目瞪口呆，张口结舌道："丈夫？"

沈无瑕小脸一红,似乎有些不好意思,吞吞吐吐道:"我们从很久之前就在一起了,当时他还很年轻,非常年轻……我想你们应该明白吧?"

月炎点点头,"明白了。"沈无瑕这么说,等于承认自己是妖怪了。不过月炎和龙飞已经猜到八九不离十,所以并不太过惊讶,只是心想就算是老夫少妻,这外表的差距也太大了吧?

沈无瑕似乎松了口气,笑道:"我就知道你们会明白,毕竟是妖魔猎人嘛!"

月炎吃了一惊,道:"你知道?"

沈无瑕点点头,"从一看到你们,我就知道了。你们的口音不是本地人,看到昙花的精灵也不惊讶,所以我猜是妖魔猎人协会派来的人。"忽然笑道,"只是没想到,妖魔猎人竟然会在山里迷路。"

龙飞不好意思地笑道:"这是事故,偶然的事故!"

沈无瑕笑了笑,接着道:"很抱歉我不能留你们住下,不过可以告诉你们去哪里休息。"

月炎欢呼一声:"那就太好了! 快说快说!"乘车颠簸了一整天,她的肚子早就开始唱空城计了。

沈无瑕向门外的道路一指,"顺着这条路走下去,大概走十几分钟就能到镇上了,你们可以在那里找到客栈,还有电话可以和外面联系。"

龙飞道:"有没有汽油?"他还记挂着自己的车。

"这个倒不知道,也许有吧。"沈无瑕拿出两个红灿灿的小球,递给龙飞和月炎一人一颗,"把这个带在身上,这样你们在镇上应该不会遇到什么麻烦。"

月炎把圆球放在眼前看了看,圆滚滚地好像宝石一样,十分美丽可爱,触手温暖,不知道是什么质料,问道:"这是什么?"

沈无瑕笑着摇摇头没有回答。月炎正要追问,竹楼里传来老人的呼唤声。

答应一声之后,沈无瑕对月炎和龙飞正色道:"我不知道你们来这里做什么,不过我希望你们能尽快离开,这样对你们来说比较好。"告别一声,转身走进竹楼里。

龙飞挠头道:"她是什么意思?"

"别管这么多了,先到镇上住下再说!"

第 二 章
小　镇

　　按照沈无瑕所说的道路走下去，当月炎和龙飞远远看到一片灯火的时候已经是临近午夜。

　　龙飞不禁感叹道："想不到在这种深山老林里竟然真的有座城镇，而且规模还很不小！"

　　月炎道："不知道这座小镇叫什么名字，刚才忘记问一下了。"

　　龙飞伸手向前方一指，"不用问，看那里就知道了。"

　　月炎顺着他指的方向看去，果然看到前面路边竖着一块一人多高的石碑。在朦胧月光照耀下，隐约可以看到上面刻着三个斗大的红字"封岩镇"。字体苍劲有力，给人的感觉好像要从石头里跳出来似的。

　　月炎吃了一惊——那是著名的妖怪窝！从地图上看，封岩镇和灵剑峰之间至少隔了百八十里地，看来他们这次迷路可真是够远了。这全要"归功"于龙飞看反了地图之故。

　　不过已经来到这里也就不好回头了，月炎硬起头皮和龙飞向镇里走去。

　　一条并不算宽阔的马路从封岩镇中央横穿而过，和两边的房舍构成了整个城镇的中轴线。大大小小的房屋从这条中轴扩展开去，组成了封岩镇。

　　虽然已经是午夜，封岩镇上却很是热闹。在中央大街，夜市上热闹的交易正如火如荼地进行着。"新鲜的鲅鱼，刚从海里捞上来的，看看，还活蹦乱跳的！""三十年的曼陀罗根，嚼起来绝对够劲——先尝后买！""苹果！又大又甜的无公害苹果！"……

眼前喧闹的情景着实让月炎感到意外。在她的想象中，这座妖怪镇应该是阴森恐怖——或者是清静淡然的，全没想到竟然会是这个样子。

不过很快她就把这件事抛在脑后，跑到一处摊位前拿起一顶火红色的羽毛冠端详起来，惊喜道："这是毕方的羽毛！"这顶羽冠上隐隐有火光流转，一看就不是凡品。

摊主是个矮胖的中年人，偏偏长着一张长长的马脸，看起来颇为可笑。见到来了生意，他急忙站起来招呼道："姑娘好眼力！这是毕方之羽织成的，绝对货真价实！"

月炎急不可待地问道："怎么卖？"看她一副志在必得的样子，旁边的龙飞不禁叹了口气，心想这样不被人狠宰一刀才真是奇怪了。

摊主并不着急报价，而是上下打量月炎一番，"姑娘不是本地人吧？"

月炎把脸一沉，"难道你的东西只卖给本地人？"

摊主急忙赔笑道："这倒不是，八方都是客，哪有只卖给本地人的道理。只是本地少见生面孔，感到有些稀奇而已。"这时附近几个摊位的商人和顾客都停下交易，好奇地看着月炎，还在低声说着什么。看来这个摊主说得不错，在这个闭塞的小镇上，每一个新面孔都是引人注意的焦点。

月炎被看得很有些不自在，大声道："你到底是不是卖东西？要是不卖就算了！"

摊主赔笑道："姑娘别生气，卖，当然卖！既然姑娘是远来客，我当然要给你个好的折扣了。只是不知道姑娘是用什么付账？"

月炎一愣，莫名其妙道："什么？"

摊主道："最好当然是金子，银子也不错，或者人民币也可以，要是美元欧元之类的，兑换起来就有些麻烦了。如果是冥钞或者纸钱，我这里是不收的。"

经他这一说，月炎忽然意识到一个严重的问题：她身上根本没带多少现金。这倒也不怪她，谁想到在这深山里还能有购物的机会？只好问道："附近有没有银行或者提款机？"

旁边有人插嘴道："最近的银行在虎崖。"虎崖是几百里外一座比较大的城市，今天一早龙飞和月炎就是从那里出发的。

"如果没带钱的话，也可以用其他东西换……"摊主忽然吸了两口气，好像在闻什么味道，"你们身上是不是带着什么名贵的药材？很不错的味道！"

"药材?"月炎莫名其妙,看看龙飞同样是一脸的茫然,"我怎么不知道有这种东西?"说着把口袋里的东西掏出来,都是一些手帕、钥匙、银行卡之类的零碎东西。

"好像是这个。"说着,摊主拿起月炎的手帕,一个小东西从里面掉出来,落在桌面上发出"啪"的一声轻响,正是沈无瑕给月炎的那颗小红球。月炎随手把它放进口袋里,夹到折叠起来的手帕中。

周围的人同时发出一声惊呼,然后摊主问道:"这是你从哪里弄来的?"这句话声色俱厉,又带着点恐慌。

月炎莫名其妙道:"一个叫沈无瑕的小姑娘给的,有什么不对吗?"

周围人一阵议论纷纷,脸上都带着怀疑的表情,不过更多的却是羡慕。

摊主用手帕把那颗红色圆球包起来,恭恭敬敬地双手递给月炎,道:"这么说你们是沈老的贵客,刚才真是失礼了!"

"沈老? 你是说那个小姑娘?"虽然知道沈无瑕是妖怪,她的真实年龄肯定不是外表那样幼小,不过"沈老"这个称呼却还是让月炎觉得怪怪的。

摊主恭敬道:"是,沈老对姑娘青眼有加,当真是天大的福缘。"由于对"沈老"崇敬仰慕,连带对月炎也客气得很。

月炎想了想,笑道:"那么,我用这颗珠子换你的毕方羽冠行不行?"

摊主脸上露出兴奋的表情,显然是认为自己大赚便宜。刚要答应,忽然意识到周围不下十几道锐利的目光正在紧盯着他,急忙改口道:"这怎么可以,姑娘只要付钱就行!"照他的说法,这颗红球竟然是无价之宝了。

越来越多的人围过来看热闹。月炎正在为难,忽然听到围观人群里有人朗声道:"这顶羽冠我买了!"说着一个身形俊朗、衣饰华贵的年轻人从人群里走出来,拿出三枚核桃大小的金元宝递给摊主,"这些应该够了吧?"

摊主急忙双手接过来,恭敬道:"当然够了!"

月炎不愿意了,大声道:"是我先看到的!"

年轻人微笑道:"很抱歉,现在是我买下来了。而且刚才我就来看过这顶羽冠,比你看到的更早一些。老马,我说得对不对?"最后这句话是对摊主说的。

摊主点点头,道:"想来是公子身边的那位姑娘看中了小人的货物。

其实公子刚才只要说一声,小人自然会把这顶羽冠送到府上,哪用劳动大驾?"他这么说,自然是这位"公子"刚才来过,却没说要买这顶羽冠。

年轻人得意地对月炎笑笑,拿起羽冠转身走了。周围的人自觉地给他让开道路,看得出来他们对这个年轻人相当地尊敬——或者说更像是敬畏才对。

月炎实在咽不下这口气,却又无可奈何,毕竟自己身边没带这么多钱。

摊主收好金元宝,对月炎道:"姑娘看看还有什么中意的没有? 我可以给你打个好的折扣。"

"不用了!"月炎正是满肚子火,哪有心情再买东西,问道:"那个讨厌的家伙是谁?"

摊主急忙示意她小点声,这才答道:"他是苏流芳公子,苏镇长的独子。喏,他家就在那里。"摊主伸手指着不远处一扇气派非凡的朱红大门。

月炎心情不好,没有在夜市逛下去的兴致。问明了旅馆的方位,和龙飞一起离开喧闹的夜市去旅馆。龙飞忽然道:"那个叫苏流芳的,我好像在哪里见过……"

月炎没好气道:"你认识他?"

"这倒不是,只是看着他有点眼熟。到底是在哪里见过呢……对了!"他忽然一拍巴掌,"我想起来了,他和那个叫方明狐的家伙长得几乎一模一样!"

"方明狐?"月炎想了想才记起这个名字,"蜀山派的那个? 不可能是一个人吧!"

龙飞笑道:"肯定不是。方明狐虽不怎么有趣,不过没有这家伙这么讨厌。"

月炎忽然想起一件事来,"小宁到封岩镇,不就是要见这里的镇长叫苏岚的? 那应该就是苏流芳这王八蛋他老子了。"恨子及父,月炎看苏流芳不顺眼,对他父亲自然也没好气。

龙飞点头道:"说起来狐狸应该已经到了,要不要去跟她打个招呼?"

月炎两眼一翻,没好气道:"告诉她,咱们迷路了一百多里地来这里? 要丢人你自己去吧,我可不奉陪!"龙飞只好作罢。

月炎又道:"而且小宁来到这里,多半就要住在那个镇长家里,我可不想去自找没趣,更不想看到苏流芳那张小白脸。对了!"她忽然一拍巴掌,把龙飞吓了一跳,"怎么了?"

月炎道:"那个卖东西的不是说过'公子身边的姑娘'?说不定说的就是小宁!"

龙飞点头道:"很有可能。"

月炎嘿嘿一笑,脸上带着古怪笑容,看着龙飞道:"那个小白脸长得倒是好看,而且都是妖狐,说不定小宁一高兴就嫁给他了。"

龙飞道:"我早就跟狐狸说,她也该出嫁了。如果真是这样,那倒也是件好事,只不过现在骗子太多,狐狸别上当才好。"

见他没什么反应,月炎很是扫兴,哂道:"小宁可是'狐狸精'!当然聪明得很,只能去骗人,哪会被人家骗了?只有跟傻瓜在一起的时候,才会连她也传染得傻了!"龙飞知道她说的是自己,只有报以苦笑。

边说边走,两人来到旅馆门前,只见路边竖着一块牌子,上面写着"龙门客栈"四个红字,牌子上的油漆斑驳不堪,看起来很是破落。

月炎道:"龙门客栈?希望不是卖人肉包子的黑店。"

幸好这家"客栈"并不卖包子,甚至不供应饮食,只是一家旅店而已,而且规模很小,只是一座小小的二层楼。因为封岩镇很少有外地人来,所以旅店的生意当然好不到哪里去。门厅里亮着昏黄的灯光,冷冷清清地看不到个人影。

走进门去,月炎高声道:"有人吗?"

"客人?这倒真是新鲜,已经好几年没来过客人了!"

听到声音,月炎向四下望去,却看不到说话的人在哪里,正在惊疑不定,就听到那个声音道:"嘿,你在看哪里?"

龙飞抬起头,"上面!"

月炎抬头看去,只见一个和自己年纪差不多男孩子坐在空中轻轻荡来荡去,正在笑嘻嘻地看着两人,再仔细一看,才发现他是坐在一根横在半空中的绳子上。

月炎问道:"你是这里的主人?"

"现在算是吧!"男孩子从绳子上跳下来,在空中还翻了个身,动作干净利落,"你们要住店?"他的声音清脆悦耳。

月炎很不喜欢他的语气,反问道:"这里不是'客栈'吗?"

男孩子笑嘻嘻地看着他们,似乎很感兴趣的样子,忽然道:"你们是不是私奔的?"

月炎差点吐血,脸上腾起两片红云,怒道:"胡说什么?!"

"不用否认啊,我不会对别人说的！你们一定是真心相爱,却因为家族的反对没法终成眷属,所以才毅然决然地双双离家出走……啊,多有趣的事情！"男孩子脸上露出兴奋的表情,显然是完全沉浸在自己想象中的世界里。

月炎撇撇嘴,"抱歉啊,我还不到十四岁,要是这家伙敢对我有什么非分之想,那就肯定是犯罪了！"

龙飞只有苦笑:"我又不是变态……"

男孩子似乎有些失望,"不是私奔啊……"忽然意识到什么,"十四岁？也就是说,你们是人类？"

月炎道:"难道这家店只对妖怪开放？"她看出这个男孩子不是人类,却不知道他是什么妖怪。

男孩子笑道:"这倒不是,只不过很少有外面的人类能来到封岩镇的。"

龙飞忽然道:"这么说你也是妖怪？"

"是——啊,不……咳,我为什么要告诉你们！"小男孩把脸一板,努力作出一个威严的表情"你们来封岩镇做什么？"

月炎没好气道:"我才不想来这个鬼地方！"

龙飞道:"我们是在森林里迷路了,误打误撞来到这里的。"虽然中间省略了一些过程,不过大概意思没错。

"原来是这样啊……"小男孩有些索然无味,"那就让你们住下好了。"向身后的楼梯指了指,"从这里上去,房间的门都没锁,自己找一间住下来就行了。"打了个大大的哈欠,"要是没别的事,就不要烦我了！"说完纵身跃上空中那条绳索,在上面躺了下来。

龙飞好奇地走上前去问道:"你这是在练功吗？就像是武侠小说里说的那样。"

小男孩在上面道:"不是,只不过是习惯罢了。"

月炎关心的却是另外的事情:"你还没说房钱是多少！"

过了一会,才传来小男孩的声音:"嗯,这个我还真不太清楚……你们愿给多少就给多少吧,不给也无所谓！"

月炎很是奇怪,"你不知道？"

小男孩没好气道:"我为什么要知道？反正以前我只要在这里看着有没有客人就行了,其他事情都不用管！"

月炎更奇怪了,"这么说你不是这里的主人？"

小男孩抗议道:"我当然是主人——三年前老刘死的时候就把这里留给我了!"

月炎越听越糊涂,"到底是怎么回事?"

小男孩哼了一声:"我为什么要告诉你们?"

龙飞笑道:"因为我们很想知道你的故事,那一定很精彩吧?如果不能听到就太可惜了!"

小男孩似乎很高兴,得意地笑道:"也说不上精彩啦!哦,告诉你们也无所谓。老刘家以前是开饭庄的,他是家里最小的儿子,年轻的时候就是那种不学无术的公子哥儿啦,不过人还不坏。"他似乎很有兴致,说得兴高采烈。

月炎问道:"你跟他是什么关系?"

"我是他的……嗯,朋友!"含糊一句之后,小男孩继续道,"当时一个二鬼子——就是汉奸啦——看上了老刘家的饭庄,想贱价买下来,偏偏老刘他爹性子倔就是不卖,结果那个二鬼子一生气,就找了个由头带一队鬼子兵来把老刘一家都抓起来了,只有老刘当时正在戏园子里听戏,才躲过一劫。后来老刘他爹经不起折腾,在牢里死了,他的几个哥哥被送去菲律宾当劳工,饭庄当然就归了那个二鬼子。老刘当然想报仇啦,不过他毛毛躁躁的,脑子又笨,只有一个人啥事都干不了,而我那时太年轻,连变成人形都还不成。所以我就给他出了个主意,让他找别人把我送给那个二鬼子,当时那个二鬼子正在给一个叫龟田什么的日本鬼子官办寿礼,就把我当作礼物在寿筵上送给了龟田。你们猜然后怎么样?"

龙飞道:"你把他们都杀了?"

小男孩摇摇头,道:"当时咱还没那本事,要是现在说不定就行了。"说着摇摇头,似乎很有些遗憾。

月炎道:"那你干了什么?"

小男孩得意道:"龟田那个龟孙子把我当了宝贝,一天到晚逗我说话。等我觉得时机差不多了,就学着那个二鬼子的口气,在龟田面前说了几句'本月十五半夜到北面城门外大槐树下面拿东西。'那个鬼子疑心重,当然会派人去看看,结果就在那里找出来一份情报,是那个二鬼子给八路的,上面说让八路三天后攻城,二鬼子和他的手下人做内应。龟田当然怒不可遏,把那个二鬼子叫来,喊着'八格牙鲁'掏出枪就把他毙了!"他说得眉飞色舞,在绳子上手舞足蹈起来。

月炎惊讶道:"这么说这个'二鬼子'倒是个好人了?你这样让鬼子

把他杀了,岂不也成了……”她说话的时候不由得也用了那个小男孩的语气。

“呸呸呸!”小男孩呸了几声,“那家伙怎么会是好人?那份情报当然是假的,是老刘前两天就放在那里了。”

月炎这才恍然,点头道:“这么说来你们倒真是干了件好事。不过日本人怎么会凭你一句话就认定那个汉奸和八路军有关系,我还是没弄明白。”

小男孩兴高采烈正要解说,忽然一个不小心,身子一晃从绳索上掉了下来。龙飞跨前一步想去接他,却见小男孩的身影一缩,接着向上蹿去,轻轻巧巧地落在绳索上。定睛一看,原来是一只通体漆黑的鸟儿。

龙飞惊奇道:“原来是只乌鸦!”

那只黑鸟翅膀猛扇,口吐人言道:“呸!小子胡说八道,你才是乌鸦!”声音听起来似乎很生气。

月炎道:“应该是八哥吧?小时候曾经看到过有人带着这种鸟到公园去溜,据说能够学其他鸟的叫声,甚至学人说话,不过我可没听到过。”

八哥笑道:“现在你不是听到了?”

月炎道:“你是妖怪,这可不算数。”不过也随即恍然。当年这只八哥在龟田面前口吐人言,龟田当然认为是鸟儿碰巧学了那个汉奸的言语,才会这样说话,又查出“真凭实据”,哪能不大怒如狂?至于那个汉奸当然要把八哥养一阵子,确定它不会什么不雅的语言,然后教一些歌功颂德拍马屁的话,这才把它送给龟田贺寿。只是他没想到这并不是只普通的八哥,而是只处心积虑要置他于死地为主人报仇的“禽妖”,他恐怕到死都浑浑噩噩不知道是怎么回事。这招“反间计”虽然在历史上屡见不鲜,却也屡试不爽。月炎又问道:“后来呢?”

“后来?”八哥歪着脑袋想了想,道:“哦,老刘在外面参加了八路,而我就一直待在龟田家里,时不常地偷偷送点情报出去,那个日本龟孙子知道情报泄漏,疑神疑鬼地杀了不少汉奸,却从来没怀疑到我身上,哈哈!”笑了两声,继续道:“等到鬼子投降,我亲眼看着那龟田剖腹自杀。这样一戳,再一绞,然后横里一拉,啧啧啧,那情景倒是有趣。”一边说着,一边还用翅膀比划,当然未免有些不伦不类,“然后老刘就把我带在身边,那时候他已经是八路的连长——或者是团长?反正都差不多。这样一直到解放,然后是文化大革命,那些红卫兵居然说老刘养着我是‘封建阶级余毒’,把他下了牛棚。幸好当时我已经能化为人形,悄悄去把他放出来,然后他和我一路辗转来到这里,发现环境还算不错,就在这里住了下来。老刘开了这家客栈,他在三年前死了,所以现在这家客栈是我的——现在你们明白了吗?"

月炎点点头表示明白。八哥挥挥翅膀,道:"那就不要烦我,自己到楼上去住下吧!"

龙飞问道:"还有个问题,你的名字是?"

"富贵,刘富贵。"说完把脑袋藏在翅膀下面,站在绳索上再不说话。月炎和龙飞这才明白,为什么他说坐在绳子上是"习惯",只是不知道他为什么不给自己搭个窝?

"龙门客栈"虽然少有客人来,每间客房里却都打扫得干干净净,见不到一点灰尘。如果这都是那只八哥做的,可真是难为他了。

二楼有三间房,月炎和龙飞分别挑了一间住下,然后龙飞又出门买了些吃的。街上夜市繁华,似乎要通宵营业。吃过饭之后,月炎疲累不堪,早早回房休息去了。

第三章

匆匆

第二天，一个清爽的早晨。

龙飞从楼上走下来的时候，那只八哥正站在大门外的招牌上，昂头向天，嘴里发出吱吱呀呀的声音。

"早啊！"龙飞一边走过去，一边大声道，"你这是在学公鸡打鸣？"

八哥瞥了他一眼，又叫了两声，这才道："这叫吊嗓子，唱戏唱歌都得练这个！"振翅从招牌上飞下来，变成男孩的样子站在龙飞面前，没好气道："你们怎么还没走？想在这里住一辈子吗？"

"对不起，给你添麻烦了，我们这就离开。"

只听这句话，龙飞就知道说话的是柳月，月炎绝对不会轻易向别人道歉。

"刘富贵"却不知道已经换了"人"，抬头对从楼上走下来的柳月道："既然知道就快走吧，在这里呆下去没好处！"说着拿起一块抹布开始擦拭柜台。他擦得很认真，就好像一个生怕老板责怪的小伙计。

龙飞挠头道："谁不想走？不过车没油了，想跑也跑不了啊！对了，这个镇上哪里能买到汽油？我昨天转了一圈，也没看到个加油站。"

刘富贵停下手中的动作，抬头道："镇上根本没汽车，要加油站做什么！嗯？"他好像忽然想起来什么，"昨天有辆车开到镇上来，现在好像是停在镇长家里，如果你们要找汽油的话，大概只有那里才有。"

柳月惊讶道："没有汽车，那你们出门怎么办？"在她看来，如果要凭两条腿从这样交通不便的深山里走出去，那不知道要何年何月了。

刘富贵淡淡道："这个镇上的人都不愿和外面的人打交道，当然也就很少出门。而且如果真要出门的话,也没有谁愿把自己塞在那个味道难闻的铁箱子里!"这时他已经将柜台抹得一尘不染,不理龙飞和柳月,顺着楼梯扶手一路抹上去。

柳月看着龙飞:"怎么办?"

龙飞笑道:"当然是去那个镇长家里看看。那只鸟看到的车应该是带狐狸来的,我只希望他们能发扬人道主义精神,从油箱里抽点油出来。要是那辆车里的油也只够回程的,我们也能搭顺风车回去,然后再回来拖车。"柳月当然没有异议。

和昨晚热闹的夜市相比,清晨的封岩镇要冷清得多。沿着行人稀少的大街,柳月和龙飞来到镇长家的大门外。两扇朱漆大门上,黄澄澄的门钉、门环闪闪发光,两座石雕分列左右,煞是气派。大门上方悬着一块匾额,上面是两个大字"苏府",笔法苍劲有力,和镇外石碑上的"封岩镇"似乎是同一个人的手笔。

龙飞喃喃自语道:"这里的人到底是生活在什么时代?"

柳月指着大门旁的石雕对龙飞道:"你看这个!"这两座石像所雕的是两只狐狸,尖嘴蓬尾,栩栩如生。

龙飞笑道:"倒是和狐狸有点像,就是只有一条尾巴。"他说的"狐狸"当然是指宁汝馨,年轻美丽的九尾白狐。

柳月道:"无论江南江北,从来没听说过用狐狸守门的,难道是这里特殊的风俗吗?"

龙飞也不知道,挠头道:"没听说过哪里有这种风俗吧……我想大概是这屋里的狐狸想向大家炫耀一下他们的家族成员,才会弄了这样两个东西摆在这里。"

柳月吃了一惊,指着大门道:"你说这里住的都是狐狸精?"

龙飞奇怪道:"月炎没告诉你? 这个镇上居民中的百分之三十都是妖怪,住在这里的是他们的镇长,好像也是所有妖怪的头——对了,名字好像是叫苏岚吧。他也是只妖狐,所以这里当然就是狐狸窝了。"

柳月和宁汝馨相处日久,心中早已把她当作自己的姐姐一样。"爱屋及乌",对其他的妖狐自然也心生亲近。

大门上的门环金光闪闪,造型竟然也是个尖嘴细眼的狐狸。龙飞走上去在门环上拍了两下,发出"当当当"的金属声。

大门纹丝不动,旁边的侧门悄没声息地打开。一个仆人模样的人从里面走出来,横着眼睛上下打量柳月和龙飞一番,没好气道:"你们是干什么的?"语气颇为傲慢。

龙飞毫不在意,走上前笑道:"我们有个朋友在里面,麻烦你把她叫出来,我有事找她。"

仆人皱起眉头道:"你们的朋友叫什么?"

柳月道:"她叫宁汝馨,应该是昨天到这里的。"

听到宁汝馨的名字,仆人似乎吃了一惊,重新打量两人几眼,这才道:"你们在这里等着,我去通报!"说完转身走进里面。

等了一会,这个仆人走出来,对龙飞和柳月低头道:"抱歉得很,宁小姐和少爷出门去了。老爷知道是宁小姐的朋友,请二位进去用茶。"态度比刚才恭敬了不少。

柳月道:"如馨姐姐出门干什么去了?"

"这个小的就不知道了。"仆人让在一边,作了个手势,"两位里边请!"

院子里花团锦簇,道路两边假山盆景错落有致,颇有些苏州园林的神韵。整个院落的建筑风格属于中国明清时期的,不过龙飞和柳月都不知道就是了。穿过庭院,又过了一进厅堂,来到正厅门前。抬头望去,只见一面匾额上书"虎威堂"三个大字。龙飞和柳月对视一眼,脑子里都蹦出"狐假虎威"这个词来。

一个身穿青布长衫的老人走出门来,对龙飞和柳月拱手笑道:"不知贵客临门,有失远迎,恕罪恕罪!"打眼看去,他给人的感觉好像是个迟暮的老人,但是仔细一看,却发现他的头发依旧黑多白少,脸上也没多少皱纹,看起来似乎只有四十来岁年纪。

龙飞和柳月有些不知所措,手忙脚乱之下也学着对方的样子抱拳为礼。

老人呵呵一笑,"二位不用多礼。想必这一套在外面早就不用了,只是我这样的老古董还念念不忘,说起来也真是惭愧!"说完请龙飞和柳月进屋分宾主坐下,对站在一旁的仆人道:"上茶!"立刻有个婢女端上茶来,放下之后万福告退。这里无论主仆,都是古装打扮,再加上周围古色古香的家具和墙上水墨山水画的装饰,让人不禁有些梦幻的感觉,恍如时光倏然倒退了数百年。

老人端起茶碗向客人示意,"请!"

龙飞和柳月学着他的样子,端起茶碗喝了一口。这茶初入口感到又苦又涩,不久之后却觉得满口清香,让人心旷神怡。

老人放下茶碗，对龙飞和柳月道："老朽苏岚，承蒙同道错爱，推举我做了这座城的镇长。两位的尊姓大名是？"龙飞和柳月虽然觉得他的话有些别扭，不过意思却不会搞错，当下说了自己的名字。

苏岚点点头，道："两位既然是公主的朋友，当然也是妖魔猎人了？只是柳会长并没有说还会派别的人来，不知道二位来到这里有何贵干？"

柳月道："算是吧……你说的'公主'是谁？"

苏岚道："当然是宁汝馨，汝馨公主殿下。二位不是她的朋友？"

一愣之后，龙飞突然爆发出一阵大笑，"你说狐狸是'公主殿下'？这个玩笑开得太离谱了吧！"

苏岚眉头略皱，道："原来二位不知道。"

龙飞笑道："她又是哪国的公主了？"

苏岚正色道："青丘国。"

龙飞停下笑，思索道："我好像听说过这个名字，是在哪里听过来着……"

柳月道："我记得初中课本上，有一篇课文里提到过'狐死首丘'的典故，书上注释的意思是狐狸在死的时候会面朝向自己出生的山丘，意思是不忘本，不过给我们上课的老师说这个'丘'可能有别的意思，指的是青丘国。"

龙飞一拍巴掌，"我想起来了，《山海经》里提到过'青丘国'，说那里有白狐狸，长着九条尾巴。"

苏岚微笑道："青丘之山，有兽焉，其状如狐而九尾，其音如婴儿。"这是《山海经·南山经》中的一句话。

龙飞笑道："后面还有吧？'能食人，食者不蛊'——后面这句的意思好像是吃了它之后能避邪？有机会我一定要尝尝看！"柳月吃了一惊，心想他不会是想吃宁汝馨吧？转念一想，要是这家伙敢对宁汝馨轻举妄动，说不定就能看到妖狐"能食人"是怎么回事了。

苏岚脸色数变，缓缓道："愚民无知，只知沉溺于口腹之欲，这些年来应该已经得到不少教训了。"

龙飞居然点头道："没错，据说非典就是广东人胡吃海喝弄出来的。"

眼见越扯越远，柳月回到刚才的问题，"你说如馨姐姐是青丘国的公主，到底是怎么回事？"忽然感到一阵眩晕，眼前的一切都变得有些模糊。

苏岚笑道："这件事说来话长，两位请喝杯茶，听我慢慢道来……"他说话的声音很轻，好像轻声的耳语。柳月忽然感到一阵眩晕，然后觉得他的声音越来越空洞,好像从很远的地方传来。声音越来越远,终于消失在一片虚无的缥缈中……

一点清凉从额头进入柳月的身体,好像一线冰晶刺入灵魂深处,把她的精神从一片混沌中拉回现实。

张开眼睛,柳月发现眼前还是一片漆黑。古色古香的宅院、和蔼可亲的老者、谦卑恭顺的仆人……一切都好像是在一瞬间消失了,只剩下令人恐惧的无尽黑暗。这里没有任何光线,以至于柳月甚至怀疑自己的眼睛是不是瞎了。

柳月想到在很多和狐狸有关的神话传说中,怀才不遇的穷书生在宏伟的豪宅中度过了纸醉金迷的夜晚之后,第二天一早却发现自己睡在荒山中与野坟为邻——难道自己也碰上这种事了? 甚至更糟,因为她根本不知道自己身在何处,以及在这伸手不见五指的黑暗中隐藏着什么。

虽然情况恶劣,不过柳月并没有像普通女孩那样发出歇斯底里的尖叫。她很清楚在现在这种情况下更要保持镇定,慌乱只让形势变得更加恶劣。如果是月炎的话,现在可以用一个简单的火焰魔法进行照明,但柳月却做不到,她只能小心地伸手去摸索着,同时低声喊道:"龙飞,你在这里吗?"

黑暗中传来一个声音:"哦,你已经醒了?"听起来有些苍老,肯定不是龙飞的声音。

柳月吓了一跳,本能地向后退了两步,后背重重地撞在墙上。触手冰凉,感觉好像是一面粗糙的岩壁。

黑暗中那人沉声道:"你是谁?"

柳月大着胆子反问道:"你又是谁?"

"我是谁?"黑暗中传来一阵苦涩的笑声,"我是个聪明反被聪明误的老傻瓜,仅此而已。"

很奇怪的答案,不过柳月更关心别的事情:"这是在哪里? 龙飞呢?"

"龙飞? 你是说那个和你一起来的人? 他就躺在我脚下,睡得正香。"先回答了柳月的第二个问题,那人沉默了几秒,叹了口气,这才继续道:"这个地方的名字'八门封灵狱',是我平生最得意的作品之一。"

柳月莫名其妙:"你的作品?"

那人傲然道:"没错!"又叹了口气,苦笑道,"可是现在这里却成了囚禁我的牢笼,真是绝妙的讽刺!"

柳月刚要再问,忽然听到龙飞打了个喷嚏,"阿嚏!呃……这是什么鬼地方?"

柳月惊喜道:"你醒了?"听到龙飞的声音,让她稍稍安心了一点。

龙飞的声音里充满了困惑:"我记得刚才还在喝茶,怎么一转眼就跑到这里来了?"

"喝茶?"黑暗中的那个人注意到龙飞的话,"和谁一起喝?"

"还有谁?当然是苏岚那只老狐狸!"听声音,龙飞好像正一边从地上爬起来,一边咬牙切齿地嘟囔道,"一定是这家伙在茶里下药,才把我们弄倒的!"

柳月不可置信道:"他为什么要这么做?"

龙飞哼哼道:"他一定是有什么不可告人的秘密,害怕我们在无意中发现,所以来个先下手为强!那只狡猾的老狐狸!"

黑暗中那人忽然道:"苏岚虽然是一只狡猾的老狐狸,但是他从来不会把自己的客人关起来,更不会在客人的茶杯里做手脚。"

龙飞毫不客气道:"你怎么知道?对了……你是谁?他的亲戚?"

那人平淡道:"我就是苏岚,那只狡猾的老狐狸。"

柳月失声道:"什么?"

龙飞似乎并不意外,冷笑一声道:"你是不是有自虐倾向?先是请我们喝茶,又把自己和我们一起锁在地牢里——这种待客之道倒真是少见。"

苏岚叹息一声,解释道:"也许这么说有点奇怪……刚才你们见到的那个我并不是我。"

柳月困惑道:"你说你不是你?那么这个你是谁?那个你又是谁?"几句话说出来,连她自己都觉得拗口。

"我就是我,一只名叫苏岚的老狐狸。"顿了顿,苏岚继续道,"至于冒充我的那个'人'……"他在"人"上加重了语气,"我只知道他能变成和我一模一样,还会一些奇怪的法术。"

柳月道:"妖怪?"

"可以肯定他不是人类,但我不知道他是什么……我从来没见过像他这种妖怪……"苏岚的声音中透出迷茫。

龙飞道:"说不定是变形怪。"

"变形怪……"苏岚把这个名字重复了一遍,"那是什么?"

"应该算是一种恶魔吧。"龙飞的语气不太确定,"不过变形怪应该在欧洲待着才对,怎么会跑到这里来?"

"这个……我也不知道……"听起来苏岚似乎有些难言之隐,说话吞吞吐吐,"原来是外国妖怪,难怪我没见过。"

柳月问道:"你就是被他关到这里的?"

一阵短暂的沉默之后,苏岚才吐出两个字:"不是。"显然他并不想多做解释。

龙飞道:"先离开这里再说吧——这个鬼地方太憋气了!"

脚步声响起,接着柳月感到一只大手抓住自己的胳膊,温暖而有力。一愣之后,柳月惊讶道:"你能看得见?"

龙飞发出一声古怪的咕哝:"啊……"随着"嚓"的一声轻响,柳月眼前的黑暗中亮起一点火光——龙飞点着了他的打火机。

微弱的火光只能照亮很小一片空间,不过已经足够让柳月看清楚周围的环境。她和龙飞所在的地方是一个八棱柱形的密闭空间,每一面墙上都刻着三道连续或者断开的粗横线,柳月知道这是八卦的符号。

龙飞放开柳月,高举起打火机照亮,挠头道:"竟然没有出口,这是怎么回事?"忽然侧头道:"喂,老狐狸! 你该知道怎么离开这个鬼地方吧?"

柳月顺着龙飞的视线侧头看去,看到一只狐狸坐在那里,正在用他充满智慧的眼神看着两人。微弱的光线下,他华美的毛皮如同火焰般鲜红,蓬松的大尾巴在身后轻轻摆动——他只有一条尾巴。

虽然已经有了思想准备,柳月还是吃了一惊。

注意到柳月的表情,苏岚咧咧嘴做出一个类似苦笑的表情,"我的妖力被这里的结界封住,不能化为人形……失礼之处还请两位见谅。"

柳月回过神来,喃喃道:"没关系……哦,应该是我们失礼才对。"

"就是,我们家里也天天有狐狸跑来跑去,已经很习惯了。"龙飞怪笑一声,接着道,"现在,老狐狸,告诉我们该怎么离开这里?!"

苏岚黯然摇头:"这是不可能的。"顿了顿,他开始解释,"我们所在的这座'八卦封灵狱'是按照奇门遁甲的原理建造的,一共有三重,每一重都蕴含着三十六种不同的法术。如果想打开封印,必须按照正确的顺序施展相应法术进行破解。但是身在八卦封灵狱中的人,全身妖力——或者说灵力——都会被完全封印,完全没有施展法术的能力,所以根本不可能解开封印。"说到这里,他似乎有些失神,喃喃道:"他一定是知道这些,才把我扔在这里……"

龙飞问道:"什么?"

苏岚猛地回过神来，"没、没什么。"

柳月并没有察觉他的失态，而是在想着另外的问题："既然是这样，我们是怎么进来的——我是说，把我们送进来的那些人怎么出去？"她会有这种疑问并不奇怪，因为如果带她和龙飞进来的人要出去，必定要解开封印，这时候苏岚就可以趁机冲出去了。

苏岚摇摇头："它们根本不需要出去。"伸出前爪按住地上一张小小的黄纸片，纸片周围有焦黑的痕迹，好像被火烧过，"这就是'它们'。"

一愣之后，柳月明白过来："符鬼？"这种没有生命的傀儡会忠实地执行主人的命令，任务结束之后就在火焰中化为灰烬。

苏岚点点头，神色凝重，然后叹了口气，道："除非发生奇迹，否则……"

话音未落，一面墙上传来"咔"的一声轻响。接着是一连串"咔咔咔"的碎裂声。苏岚变色道："这是怎么……"后面的话被墙壁破裂的轰然巨响所吞没。

烟尘弥漫中，有人大声喊道："这里面果然有人！"

第四章

结　界

"咳、咳!"柳月正被漫天扬尘呛得睁不开眼睛,就感到一左一右两只手抓住她的胳膊。她本能地使劲挣扎,尖叫道:"你们要干什么!"忽然觉得胳膊上一松,接着不远处传来重物落地的声音,这才听到两声惨叫响起:"啊、啊!"然后是一阵痛苦的呼号。龙飞的声音在身边响起:"你没事吧? 可以张开眼睛了。"

柳月依言睁眼,看到龙飞正在关心地看着自己。不远处,两个道士打扮的人正躺在地上,抱着自己的一条胳膊发出一阵阵呻吟。

一个年轻的声音冷冷道:"阁下好身手。"循声望去,柳月看到一个三十岁左右的瘦削男子负手站在那里,一双锐利的眼睛紧盯着龙飞。他也是道士打扮,不过身上道袍的颜色比地上那两个家伙略深一些。

龙飞挠挠头,微笑道:"你说什么?"

那个道士走过去弯腰伸手在两个同门肩上轻轻一托一按,就将他们脱臼的关节接回原位。再不理还在呻吟的同门,他冷冷地上下打量着龙飞,向他略一拱手道:"在下蜀山派东方青,不知阁下该如何称呼?"

龙飞和柳月都是一愣:"蜀山派?"

见到他们面色有异,东方青略感诧异,道:"看来两位都不是妖邪之物。敝派来向盘踞此地的妖物要一个人,恐怕难免冲突。刀剑无眼难免误伤,如果两位和这些妖物并无瓜葛,还请这就离开。咱们青山绿水,来日有缘再会。"为了避免横生枝节,东方青不愿意平白无故再树强敌。他这几句话已经说得相当客气,表示对龙飞打伤自己两个同门的事情再不追究。

龙飞摇头道："我们和他们才没瓜葛,倒是和你们有不少。"

东方青莫名其妙,皱眉道："请赐教!"

龙飞笑道："你们应该接到过消息吧,有两个妖魔猎人要到蜀山派进行调查——就是我们。"说着还忙不迭地掏出证件炫耀一下。

东方青听到过这个消息,脸色立刻缓和下来,点头道："原来如此,那刚才贫道真的是失礼了。"说着向龙飞和柳月作了个揖,"既然如此,请两位随我的师弟到外面暂避,等此间事务一了,咱们一同回山就是了。"

"呵呵呵……"一阵大笑传来,"那怎么行? 这两位小朋友远来是客,怎么说也要在这里盘桓几天,让老朽尽一下地主之谊才行。"

一群人同时循声望去,看到一个身穿青布长衫的老人走过来。打眼一看,他似乎已经非常衰老,仔细一看却又不是很老。龙飞和柳月交换一个眼神,都明白对方在想什么:这个老人无论音容笑貌,还是穿着打扮,都和他们见过的"苏岚"一模一样。这个人是"真货",还是变形怪伪装的?

东方青的脸色阴沉下来,双眼死死盯着"苏岚",冷冷道："你是苏岚苏镇长?"

苏岚微微一笑,道："不敢,正是老朽。"顿了顿,对龙飞和柳月露出一个狡黠的笑容,"如假包换!"虽然还不完全确定,不过龙飞和柳月觉得眼前这人应该不是一个变形怪。

东方青脸上没有任何表情,突然双眼中寒光大盛,冷冷道："既然苏镇长自己现身,真是再好不过。"向苏岚跨出一步,"我那位师侄年纪幼小受不得惊吓,还是请苏镇长把他交出来吧!"他这番话软中带硬,气势咄咄逼人。

苏岚眉头略皱,反问道："难道蜀山派丢了什么人,都要来找我要不成?"柳月刚才还曾经以为蜀山派知道自己和龙飞在这里,才派出东方青等人来到封岩镇找他们,不过现在看来他们所找的另有其人。

东方青脸色变得更加阴冷,"既然如此,就不要怪我等冒犯了!"

苏岚哈哈一笑,突然面色一沉,森然道："真是不知天高地厚……就算是东方杰老儿亲来,见到我也得恭恭敬敬地叫一声前辈。他也算是蜀山派几百年来顶尖的人物了,想不到教出来的徒子徒孙们却这么不成气候!"

东方青脸颊上的肌肉抽搐了一下,眼中射出熊熊怒火。再不答话,他反手从背后抽出长剑。剑长三尺七寸,剑身上没有任何纹饰,如同一泓秋水,散发着森冷的光辉。就算是柳月,也知道这是一柄宝刃。

苏岚心不在焉地瞥了东方青手中长剑一眼,鼻子里发出一声轻蔑的哼声,似乎根本就不放在眼里。他的态度激怒了东方青,他再也无法忍耐,挺剑向苏岚刺去。突然之间,长剑似乎化作一条青蛇,在空中扭曲几下,闪电般向苏岚的咽喉要害猛扑过去。

柳月的惊呼声中,苏岚突然举起右手,用食指和中指将长剑牢牢夹住,就好像捏住了毒蛇的七寸,使它再难进寸。大惊之下,东方青想把剑抽回来再作进攻,却发现剑身好像在苏岚手上生了根,无论他怎么使劲,甚至连晃动一下都不能。

苏岚露出一个戏谑的笑容,右手忽然使劲一转。只听"啪"地一声脆响,剑尖被他硬生生折下寸许长的一截。接着一挥手,剑尖从东方青耳边呼啸而过,牢牢钉在他身后不远处的墙上,一直没进墙里。

东方青的脸色倏然变得苍白,站在原地一动不动,呆呆地盯着手中的断剑。就在柳月以为他要弃剑认输的时候,东方青忽然爆发出一阵惊天动地的吼声,挥舞着短剑向苏岚扑过去,如同一只暴怒如狂的猛虎。

看到他这个样子,苏岚不禁皱起眉头。他的身影如同穿花蝴蝶般在漫天剑影中从容穿梭,东方青狂暴的攻击甚至碰不到他的半点衣角。看得出来苏岚已经占了绝对的上风,如果他想反击的话随时可以将东方青置于死地。

一时间剑气纵横,柳月感到一阵阵凛冽的寒意扑面而来。忽然眼前一暗,原来是龙飞跨上一步挡在她身前。立刻,她再也感觉不到激荡的剑气,不禁暗暗感激龙飞。

又是"啪"的一声轻响,苏岚伸手将东方青的长剑折断一截。东方青不但没有退缩,反而攻得更加猛了。

"啪、啪、啪!"的声音接连响起,随着东方青手中的长剑越来越短,他的脸色由白转红,又由红转黑,表情狰狞可怕。向苏岚猛刺几"剑",他忽然向后越开,反手将仅存半尺来长的断剑向颈间抹去。苏岚和龙飞都没想到他会突然来这么一手,一愣之下,冲上去已经来不及了。

一道白光闪电般斜飞过来,正打在东方青手中的断剑上。"叮"激越的金属碰撞声几乎要震破他们的耳鼓。东方青手中的断剑被撞得横掠出去,险些拿捏不住。

那道白光好像活的一样,在空中一个盘旋向回飞去。一只手伸过来接住白光,其他人这才注意到一个身穿白衣的年轻人不知道什么时候出现在院子里。白光在他手里化成一把银白色的短剑,剑身流转着白玉般温润的白色光华。

看到龙飞,那个年轻人露出惊讶的神色。还没等他说话,龙飞已经先挥手道:"原来是你啊!新港市的官司已经解决了?"

柳月奇怪道:"你认识他?"

龙飞点头道:"见过面。对了,他是方明狐,就是我和东方剑在新港市见到的那个。"

柳月露出恍然的神色:"哦,原来就是你啊!"

还没等方明狐说话,东方青忽然把断剑重重抛在地下,转身就向外走。经过方明狐身边时,他从嗓子里挤出一个充满怨毒的低沉声音:"好……你好!"再不停留,铁青着脸冲出去。

龙飞莫名其妙道:"这家伙怎么了?"

方明狐苦笑,道:"六师叔原本就对我成见很深,这次我又阻止他殉剑,只怕他要恨我一世了……但我实在无法看着他死去。"说罢缓缓摇头,脸上的表情空落落的。

柳月惊讶道:"难道剑断了就要自杀?"说着不由向苏岚看去,想弄明白他是不是知道这件事,才故意折断东方青的长剑以迫他自杀。一看之下,却发现苏岚的眼睛只是紧紧盯在方明狐身上,脸上露出包括迷惑、亲切和愧疚在内的复杂神情。

柳月正感到奇怪,苏岚忽然道:"你……姓方?"

方明狐转身面向他,略微行礼道:"晚辈方明狐,见过前辈。刚才师叔言语冒犯之处,还请前辈海涵。"

苏岚好像没听到他的话,问道:"你……你的母亲是方兰雅?"声音隐隐有些发颤。

方明狐剑眉一挑,毫不犹豫道:"不是。"

苏岚脸上露出难以掩饰的失望,自言自语道:"是啊,怎么会是她?不过……真的很像……"

方明狐不知道他在说什么,也不想纠缠下去,道:"我有位师弟被人带走,不知道苏镇长有没有线索?"

苏岚恢复常态,皱眉问道:"老朽足不出户已经很久了,对外面的事情所知有限……"他对方明狐的态度比对东方青要明显好得多。

龙飞插嘴问道:"到底是怎么回事?蜀山派有人不见了?"

方明狐点点头,忧心忡忡道:"被掳走的是东方剑。"

"什么!?"柳月发出一声惊叫,声音里透出明显的关心,"到底是怎么回事? 他不是跟姐姐回家了吗? 怎么会不见了!"

方明狐的神色一黯,摇头道:"我们也不知道是怎么回事……"他忽然对三人一拱手,"我还有事在身,必须尽快赶去处理,请几位见谅!"显然,他隐瞒了许多事情,不过别人也不好继续追问,毕竟这是蜀山派的"家事"。

最先说话的居然是苏岚:"你要走了?"听他的语气,似乎很不希望方明狐离开。

方明狐肯定地点头道:"是,请前辈见谅。"说完对龙飞和柳月点点头,转身走了。

看着方明狐的背影消失在门外,苏岚莫名其妙地叹了口气,这才对龙飞和柳月道:"虽然我很想请两位进来用茶,不过现在恐怕不行,还有些事情必须去处理一下。"

"哦,你指的是不是那个变形怪?"龙飞嘴角轻轻一挑,浮现出一个冷冷的笑容,"你知道那家伙在哪里? 我也正想找他呢。把我们灌晕了扔进小黑屋这件事,可不能就这么轻易算了,对不对?"最后这句话问的是柳月,不过她似乎正在思索着什么,只是随口"唔"了一声,也不知道听见没有。

苏岚想了想,好像终于下定了决心,点头道:"那请两位跟我来。"

此时,苏府气派的大门前已经聚集了一大群人,如果不是被闪烁不定的结界挡住,他们早就冲进去了。两个道士站在结界里,手持长剑冷冷地盯着外面骚动的人群。

一个身高足有两米多的壮汉排众而出,黑壮的身躯如同铁塔一般。他走到结界边上,指着里面的道士破口大骂道:"你们这些牛鼻子听着,有本事就出来和爷爷我真刀真枪地打一架,躲在乌龟壳里算什么好汉!"那两个道士一言不发,只是冷冷地看着他。

壮汉怒火中烧,大吼一声,挥拳就向结界砸去。海碗大小的拳头夹带着呼呼劲风,打在结界上却只发出"啵"的一声轻响,足以开山裂石的力量消失得无影无踪。壮汉看看自己的拳头,又看看没有任何变化的结界,脸上露出迷茫的神色。

人群里传出一个清晰的声音:"山猪你不用白费力气了。这是蜀山派的'天衣霓裳'结界,凭你的蛮力是打不开的。"

被称作"山猪"的壮汉恼羞成怒,回头大吼道:"你这条好死不死的上吊绳！既然知道这个该死的结界叫什么，还不过来把它解开。"

随着一声叹息，一个古代书生打扮的高瘦男子从人群中走出来，他的脸色原本就十分苍白，却穿了一身黑衣，更显得脸色其白如纸。他对壮汉摇头道："活了这么多年，你的猪脑子还是一样糊涂。"

壮汉发出一声低吼，恼怒道："你凭什么说我！"

书生的声音里带着嘲弄的语气："如果我有办法打开这个结界，还会在这里等这么长时间？难道只是为了让你这头猪来丢人现眼？"

壮汉愣了一下，觉得似乎也有点道理，疑惑道："那该怎么办？"

书生叹了口气，道："这个'天衣霓裳'结界是蜀山派三绝结界中防御能力最强的，虽然没什么攻击力，但这种纯防御型的结界是最难对付的……"

"行了！"壮汉不耐烦地打断他，"到底要怎样才能把这个该死的什么霓裳弄掉？"

书生想了想，简短地道："杀死设结界的人，或者用比他强至少一倍的灵力对结界进行直接轰击，都可以让这个结界消失。"

"原来有这么简单的方法，你倒是早说啊！"壮汉呵呵一笑，"那个设结界的家伙在哪里？我这就去把他的脑袋拧下来！"

书生只有苦笑，指着苏府敞开的大门道："如果我猜得没错，他应该是在结界里面。"

壮汉愣了一下，接着发出一阵惊天动地的吼声，周围的人纷纷捂着耳朵连连后退。"你是不是故意捉弄我！?"他气势汹汹地对书生大吼道，"我先把你这个混蛋宰了！"说着就要挥拳相向。

书生不紧不慢道："想打架？那就来吧！"说着向后退开一步，两腿分开不丁不八地站着，气宇轩昂地做出迎击的准备。

"你们两个别闹了，想在外人面前丢脸吗？"随着清脆的童音，人群自动让开一条路，沈无瑕穿过人群走过来，"都已经几百岁了，还是跟小孩子一样。"

壮汉和书生对她的态度十分恭敬，急忙躬身行礼道："您老来了！"

结界里的两个道士都有些吃惊，其中比较年轻的那个失声笑道："鲁师兄，你看他们称那个小孩'您老'，真是太可笑了！"但他的伙伴却并不觉得好笑，而是神色紧张地看着沈无瑕，低声道："林师弟，你去叫师叔他们过来。"

林师弟莫名其妙地问道："怎么了？师叔他们说没有必要……"

鲁师兄断喝道:"快去!"说着不由分说把师弟一把推进门去,接着抽出挂在背后的长剑,面带紧张地盯着沈无瑕。壮汉和书生不再争执,一起带着幸灾乐祸的神情看着紧张的道士。

沈无瑕并没有什么动作,而是露出一个甜美的笑容,微笑道:"你们来这里做什么?"

鲁师兄只觉得一阵迷糊,脱口就要说出自己来这里的目的,总算他的修为颇深,及时收敛心神,这才恢复了神志,冷喝道:"邪魔歪道,休要弄邪法惑人!"

沈无瑕皱了皱眉头,惊讶道:"你的修为倒是不错,应该已经有'地剑'的功力了吧?"接着微笑道,"我这个也不是什么邪法,只是不想无谓地冲突而已。"顿了顿,又问道:"苏镇长和他的家人怎样了?"

鲁师兄一言不发,只是铁青着脸盯着她,同时将意志凝聚到极限,随时准备对抗勾魂摄魄的邪术。

见他这副样子,沈无瑕轻轻叹了口气,自言自语道:"看来只有进去看看了……"

"好啊!"旁边的壮汉大吼一声,兴高采烈道,"早该这样了,也给这些牛鼻子一点厉害尝尝!"书生虽然没说什么,脸上却露出渴望的兴奋神色。附近围观的人群也发出一阵欢呼,却不约而同地向后退开几步。

沈无瑕伸手从头上摘下一颗红色的珠子,与她送给月炎和龙飞的一样。犹豫一下,她将珠子随手向前抛出。

红珠子落在苏府门前铺着的青石板上,嗖地钻了进去,在石板上留下一个小小的孔洞。鲁师兄还在莫名其妙,忽然听到了"咔咔"的碎裂声,接着就看到一株翠绿色的植物从青石板里钻出来,迅速异常地生长着,转眼间已经长到半尺多高,七片一寸来长的叶子带着柔和的光晕,如同精致的翡翠般。在道士惊愕的目光中,最顶端的叶子射出一道淡绿色的光线,落在笼罩在苏府的"天衣霓裳"上,接着是第二道、第三道……七道绿光汇聚在一点,结界的光辉突然变亮,接着猛然闪烁几下,被绿光照射的地方开始出现一圈圈不稳定的蓝紫色光晕,并且范围逐渐扩大。

这时那个鲁师兄才明白发生了什么,急忙低喝一声,左手捏着剑诀,右手挺剑刺向照在结界上的绿色光点。"叮"的一声轻响,他浑身如遭雷击,剧烈地颤抖一下,脸上露出强忍痛苦的表情,同时催动灵力,透过手中长剑传到结界上,对抗着那道怪异的绿光。

沈无瑕轻轻叹了口气,低声自言自语道:"怎么这么顽固……"她并不想伤害这个道士，所以只是缓缓催动妖力，希望他能知难而退。

绿光的颜色变得愈发幽冥深邃，如同一道道绿宝石溶化成的水线，在植物和结界之间来回流转。道士的脸色越来越难看，大滴大滴的汗珠顺着他的脸颊流下来，落在苏府门前的台阶上，转眼间就被空气中蒸腾的热浪蒸干。很快，他感到眼前的一切都在不停地晃动，手脚也开始不受控制地颤抖起来。他很清楚这是灵力即将耗尽的征兆，却只能苦苦支撑，同时心中咒骂林师弟怎么还不带人回来。

就在将要耗尽灵力晕倒的时候，忽然感到有人抓住他背后的衣襟，将他拉得退后一步，同时手上传来的压力一轻，狼狈地后退几步，一屁股坐在苏府门前的青石台阶上，大口大口地喘着粗气，直到这时他才发现有人站在自己刚才的位置，手中一尺来长的短剑发出惊心动魄的白色光华。是方明狐这小子……鲁师兄的心中涌出一阵嫉妒的酸意，同时也放下心来，终于晕了过去。

结界外面，沈无瑕惊讶地看着这个突然出现的人类，总觉得他身上有一种自己曾经非常熟悉的感觉。对了，他和苏流芳长得几乎一模一样，但是这种感觉……

沈无瑕正在犹豫要不要继续催动妖力，忽然听到一个熟悉的声音："都停手！"她不敢违背这个命令，立刻收敛妖力，地上的植物迅速缩小消失，接着那颗红珠子从石板里跳出来，飞回她的手上。

苏岚的身影出现在大门口，威严的目光扫视一圈，包括那个壮汉和书生在内，所有人都不由自主地低下头，只有沈无瑕一人迎着他的目光。

见沈无瑕收回妖力，方明狐也收剑而立，对她友善地微笑道："得罪了。"说完将手中短剑凭空划了一个圆圈，低声发出一连串由短促音节组成的咒语。笼罩在苏府周围的"天衣霓裳"结界变幻出绚丽的七彩光华，闪烁几下之后终于烟消云散。然后他提起晕倒在地上的鲁师兄，对苏岚略微躬身道："那么，晚辈告辞了。"说完一闪身，别人只觉得眼前一花，他已经穿过围观的人群，接着几个起落之后就消失在空旷街道的尽头。

收回失落的目光，苏岚对其他人道："这里没事了，大家请回吧。"围观的人们发出一阵骚动，接着各自离开了。

苏岚走下台阶，来到沈无瑕身边低声道："沈妹，麻烦你进来一叙。"然后对壮汉和书生道，"朱大，白叶涛，你们带几个人去镇子周围看看，如果有什么异样，尽快回来告诉我。"

那两人领命去了。

第五章
父 子

昏暗的光线下，沈无瑕惊讶地看着被十几道符咒牢牢封在墙上的丑陋怪物，皱眉道："就是它把你关起来的？这到底是什么妖怪，我竟然从来没见过。"

龙飞炫耀知识似地介绍道："它是变形怪，是欧洲的妖怪，你当然没见过。这家伙可以把自己的外表变成见过的任何人，还能使用一些魔方，是个比较难缠的对手。"

沈无瑕道："但它还是被你抓住了。"她看着苏岚，眼中露出询问的神色。

苏岚心不在焉地道："不，抓住它的不是我。"顿了顿，接着道："也不是这两位妖魔猎人。"

沈无瑕惊讶道："那会是谁？"

"蜀山派的方明狐，就是你刚才见到的那个年轻人。"

沈无瑕恍然大悟似地"哦"了一声，目光灼灼地看着苏岚问道："他的母亲是方兰雅？"

苏岚摇摇头，没有说话，脸上都是沧桑。

沈无瑕知道不能再在这个问题上纠缠下去，回头问龙飞："他是怎么抓住这个妖怪的？"

龙飞道："这个倒霉蛋察觉到我们从小黑屋里出来了，不敢在这里待下去，正好那些道士要收队离开，它就想变成个道士浑水摸鱼地溜出去，结果正好被方明狐撞上，因为打不过他，就变成这个样子了。"

沈无瑕知道了个大概，随口问道："那些道士来干什么？"

苏岚回答道："他们说有个同门失踪了，所以来这里找。"

沈无瑕惊讶道："真是笑话！他们的人不见了，怎么会到封岩镇来找？"

苏岚皱眉沉思道："这几件事之间也许有某种联系……"其他人不想打断他的思绪，一时间没有人说话。然后沈无暇向苏岚告辞，后者跟从她出去。同时叫人带柳月和龙飞去客厅休息。

在客厅里坐下之后，领路的仆人忙着去倒茶。这时一直忧心忡忡的柳月忽然小声对龙飞道："等汝馨姐回来，咱们得把小剑的事情告诉她，说不定她会有什么办法。"

龙飞"嗯"了一声，好像这才想起宁汝馨来，点头道："不知道这只狐狸跑到哪里去了！"

苏岚从门外进来，正好听到他这句话，莫名其妙道："狐狸？你们在说谁？"

龙飞"啊"了一声，"对了，你知不知道狐狸……哦，宁汝馨去哪里了？"

苏岚茫然道："宁汝馨？她是谁？"

柳月奇怪道："你怎么会不知道……"忽然明白过来，"哦"了一声，"对了，肯定是那个变形怪搞的鬼。"然后对苏岚道："宁汝馨是我们的伙伴，和你一样是只妖狐，同时也是妖魔猎人，这次是被派来调查……调查某件事情的。"

苏岚惊异道："等等，你是说她是妖狐，同时也是妖魔猎人——这怎么可能？"

柳月喃喃道："这个……有点复杂。"总不能说是月炎为了省钱弄来的免费帮手吧？

龙飞笑道："对了，昨天那只怪物请我们喝茶的时候说过，狐狸是青丘国的公主，你知不知道是怎么回事？"

苏岚的脸色忽然变了，失声叫道："你说什么?!"意识到自己的失态，他深吸一口气，努力让自己平静下来，这才道："你们说的妖狐——宁汝馨，难道有九条尾巴？"

"是啊。"柳月一点也不忌讳，"她的尾巴比你的好看多了，哦，你的尾巴也挺好看的，不过我还是喜欢抱着汝馨姐尾巴的那种感觉。"

苏岚根本没听到她后面关于尾巴的话，仰头自言自语道："难道……难道真的是大王的后裔？"忽然神色紧张地问柳月，"她今年多大年纪？"

柳月想了想,道:"大概不到一百岁吧? 我也不是很清楚。"

苏岚愣了一下,露出苦恼的神色:"这么年轻……难道是大王的第二代或者第三代子孙? 但是我从来没听说过。"

柳月奇怪地问道:"难道汝馨姐真的是公主?"

苏岚欲言又止,道:"还有些事情必须确认一下,能不能请她来……哦,应该我去见她才对,这位宁小姐现在在何处?"

龙飞轻轻哼了一声,道:"这就得问你的儿子了,他是叫苏流芳,对不对?"

苏岚点头道:"不错,但这件事和犬子又有什么关系?"

柳月道:"关系大了! 我们昨天来的时候,就听说他和汝馨姐一起出去了,不会到现在还没回来吧?"

苏岚正要找人来问,忽然听到外面有人惊慌地大声道:"老爷、老爷!大事不好了!"接着一个管家模样的人连滚带爬地冲进来。

苏岚皱起眉头,沉声问道:"苏全,这是怎么回事?"

苏全语无伦次道:"少爷、少爷受伤了!"

"什么?"苏岚大吃一惊,急忙道,"他在哪里? 快带我去!"

"在东厢房……"管家的话音未落,只见苏岚的身影晃了一下,就消失在原地,带起一阵轻风。

柳月惊讶道:"好快!"

管家苏全这才注意到他们,怀疑地看着两人道:"你们是谁?"

龙飞搂住他的肩膀,笑嘻嘻地道:"我们是苏镇长的朋友的朋友。苏公子怎么受伤的? 伤势重不重?"

"这个我也不知道……"

"哦,看来伤得不轻。东厢房是吧?"龙飞回头招呼柳月,"咱们也过去看看吧!"

"啊,好的。"

苏全想要阻止他们:"等等,诸大夫交待……"忽然感到一种难以名状的压迫感,仿佛肺叶里充满了灼热的水银,让他无法呼吸。这种压迫感只持续了不到一秒钟,但是苏全感觉好像是经历了数个世纪那样漫长的时光。当这种感觉消失之后,他还是呆呆地站在那里,甚至没看到龙飞和柳月从自己身边走过去。不知道过了多久,他才渐渐恢复了神志,这才发觉自己全身的衣服都被冷汗浸透了,惊魂未定的他嘴里喃喃嘟囔着自己也不知道什么意义的词语:"怪物……怪物……"

在苏府东厢房里，苏流芳正躺在床上，浑身横七竖八包满了绷带。几个大夫模样的人站在他身边，正在低声商量着什么。

房门忽然被推开，苏岚随着一阵清风出现在房间里，劈头就问那几个大夫："他的伤怎样了？"

其中一个看起来最年轻的大夫回答道："公子的外伤并不碍事，但是魂魄似乎受过某种震荡，会有什么影响还不好说。"

听到说话的声音，苏流芳张开眼睛，勉强开口用虚弱的声音低声道："爹。"就要挣扎着坐起来。看来他的神志不太清醒，眼睛也有些失神。

苏岚抢上一步轻轻按住他，低声道："不要动，就这样躺着。"舐犊之情溢于言表，然后回头对那个年轻大夫道："诸无病，你说他的魂魄受到震荡，这是怎么回事？"

"是啊，我们也很想知道。还有，我们家的狐狸哪里去了？"说着，龙飞和柳月从门外走进来。看到他们，苏流芳的眼中闪过一道奇怪的光，不过随即就消失了。

那个大夫看了看苏岚，见他点头同意，这才清了清嗓子，表情严肃地说道："虽然没有明显的伤痕，不过公子的魂魄给人的感觉非常不稳定，就像是搜心术或者追魂术之类的法术作用时的样子，不过我并没有发现这些法术留下的痕迹，所以还不能确定。"

苏岚想了想，走到苏流芳身边，抬起手放在他的额头上，掌心中发出淡淡的红光。苏流芳的身体如同触电一般，猛地颤动了一下，发出一声短促的呻吟，接着双眼似乎有了些神采。看看周围的人，他有些茫然地说道："我怎么会在这里？"旁边的诸无病发出一声赞叹："定魂心法！苏先生的修为果然深湛！"

苏岚的脸色有些苍白，显然刚才的法术让他很是疲劳。他露出欣慰的笑容，沉声问道："到底是怎么回事？"

苏流芳勉强抬起上半身，旁边立刻有个女仆拿来一个软垫放在他背后。虚弱地咳嗽两下，他这才低声道："汝馨想让我——"柳月不满地打断他："别叫得这么亲密！"在她心目中，这个看起来颇为纨绔的"公子"根本配不上宁汝馨，他这么亲密地叫宁汝馨的名字简直是对汝馨姐姐的侮辱。

苏流芳奇怪地看了柳月一眼，又看看龙飞，这才继续对苏岚道："宁……小姐说希望去那个妖魔猎人失踪的地方调查一下，所以我就带她去那里。"

苏岚皱起眉头："裂魂谷？你怎么没告诉我!?"

苏流芳愕然道："我曾经禀告过，您也同意了。"

苏岚立刻明白，"同意"的是那个变形怪。他并不想把这件事公开，毕竟身为一镇之长的自己竟然被一个名不见经传的西方妖怪关了起来，说出去并不是什么光彩的事情。哦了一声算是应付过去，苏岚接着问道："你们是什么时候出发的？"

"昨天一早。"

柳月忍不住插嘴道："汝馨姐呢？她现在在哪里？"

苏流芳摇头道："我不知道。我只记得和宁小姐一起下到裂魂谷里，然后碰到一个从来没见过的妖怪，宁小姐和他用一种奇怪的语言交谈，那个妖怪忽然狞笑了几声，手中出现一个黑乎乎的光球，然后我就觉得周围的一切都变得模模糊糊的，好像在做梦一样，等我清醒过来，就已经在这里了。"

柳月急了："汝馨姐怎么样了？"

苏流芳有些心虚地喃喃道："我不知道……"

柳月猛地跺了跺脚，转身就要冲出门去。

龙飞一把拉住她，喝道："你干什么去!?"

柳月的声音里带着哭腔："去裂魂谷，找汝馨姐啊！说不定她已经被那个妖怪抓住了，可能、可能……"

"你知道裂魂谷在哪里吗？"

柳月愣住了，再也说不出话，忽然"哇"的一声哭了出来。

龙飞将她轻轻抱在怀里，低声道："没事的，咱们家的狐狸可是很厉害的妖怪，只能是她去欺负别人，怎么会吃亏？"他的声音带着一种坚定不移的自信，让在场的所有人，包括苏岚在内，都用惊讶的眼光看着他。

柳月的情绪稳定了一点，抬头看着龙飞，眼角还带着泪花，呜咽道："真的吗？汝馨姐姐会没事吗？"

龙飞拍了拍她的头，毫不犹豫道："当然，我保证！"然后回头问苏流芳："裂魂谷在哪里？"

苏岚感觉这个年轻人好像忽然变了一个人，浑身散发出不怒自威的气质，几乎让人不能直视。被这气势所迫，他脱口而出道："在镇子向北六十多里的地方。"

龙飞点头道："知道了。"拉着柳月的手向外走去。

"等等!"苏岚急忙叫住他们，"你们要去哪里？"

柳月回答道："当然是去裂魂谷，我要去找汝馨姐！"龙飞点点头："对了，你们这里应该有马，借给我们一匹吧！"

苏岚道："现在出发的话，你们到那里恐怕已经是晚上了，不如等明天一早……"

龙飞打断他的话："谢谢你的好意，不过我可不敢把狐狸自己放在那里过夜，被她咬上几口也是挺疼的。"

虽然不知道他在胡说八道些什么，不过苏岚很清楚不可能让这两个妖魔猎人等到明天早上再出发。飞快地思索了一下，他忽然高声道："苏全！"

管家苏全连滚带爬地从门外进来，躬身道："老爷，有什么吩咐？"

苏岚肃容道："你到马厩去牵两匹好马，然后带这两位妖魔猎人去裂魂谷走一趟，小心一点。"

苏全脸上露出恐惧的表情，不过还是颤声道："是。"显然他很不情愿，不过迫于苏岚的命令而无可奈何，只能答应。

苏岚点点头，对龙飞和柳月道："本来应该是由我带二位走一趟，不过犬子现在这样子，我的心里实在很乱。"

龙飞点头道："可怜天下父母心，我理解。"

苏岚感激地看着他，道："苏全是我最信任的族人，而且也去过裂魂谷，对那里附近的环境比较熟，所以我让他带你们过去。"

"哦，这样也好。"龙飞很满意，"至少不会迷路了。"他对自己认路的本事很有自知之明，原本还在考虑是不是用一些很极端的办法赶过去，不过现在看来是用不着了。

柳月着急地催促道："那我们赶快出发吧！"

无奈之下，苏全垂头丧气地领着龙飞和柳月走了。就在所有人的视线都集中在他们身上的时候，谁也没有发现，躺在床上的苏流芳嘴边闪过一抹难以捉摸的笑容……

第六章
暗　袭

离开封岩镇之后,龙飞和柳月骑马跟着苏全。龙飞的骑术相当不错,不但让苏全相当意外,连柳月也是第一次知道。柳月不会骑马,所以龙飞把她放在自己身前,两人共骑一匹马。

骑了一个多小时马,他们来到一处山坳里。这里已经是大路的尽头,再往前就是弯弯曲曲地山路,根本不能骑马上去。苏全跳下马来,将缰绳拴在路边的一棵大树上,然后一言不发地顺着山路向上走去。龙飞先把柳月放在地下,这才翻身下马,他没有把缰绳拴在树上,而是拍了拍那匹马的脑袋:"在这里等着。"那匹马听话地走到路边,开始在原地吃草。

柳月惊讶道:"我从来不知道你还会骑马!"

龙飞得意地笑了笑:"骑得还不错吧?"

苏全在前面停下来,回头不满地大声招呼着两人:"快点,没多少时间了!"

柳月顾不上继续盘问龙飞,拉起他向山上走去。

山上只有崎岖的小路,不知道是什么野兽踩出来的。路边的藤条树枝有折断的痕迹,看起来似乎近两天有人来过这里。

龙飞用力吸了一口气,然后肯定道:"这里有狐狸的味道,她从这里走过。"

听到龙飞的话,走在前面的苏全脸上露出怀疑的神色,也深吸一口气,然后冷冷道:"这里没有狐狸的味道。"他对这两位客人明显没有什么好感,一直没有什么好脸色。

龙飞挠头道:"哦,我说的是我们家的狐狸,她身上的味道和你们有些不同,而且也淡一点,如果没闻惯的话是不太好发觉。"

柳月急切地问道:"汝馨姐到过这里?"情急之下,她没想到龙飞怎么会有这么好的鼻子。

"嗯,没错。"龙飞又吸了一口气,伸手指着前方,"她就从这里走过去的。"

苏全哼了一声,认为龙飞是在信口开河。他不愿意和龙飞争执,也不想耽误时间,所以脚下加快了脚步。

龙飞紧追上几步和苏全并排,问道:"那个裂魂谷到底是什么地方?为什么一定要在天黑之前赶到那里?"柳月跟在他们身后,显然也对这个问题很关心。

苏全有些不耐烦,不过还是解释道:"裂魂谷当然就是一处山谷,传说有人曾经在那里封印过一个非常厉害的怪物。虽然不知道这个传说是不是真的,不过那里的确是很不寻常,散发着某种难以名状的东西……如果你们的感觉够敏锐,到了那里就知道我在说什么了。这种东西——或者说是某种力量——会引来许多孤魂野鬼,等太阳落山之后,整个裂魂谷以及周围的一大片地域就成了鬼魂的天下,就算是像老爷这样厉害的妖怪也不愿意去惹它们。"

柳月忍不住插嘴道:"那我们怎么办?"

苏全道:"在裂魂谷外面有一处别院,周围有驱逐鬼魂的结界,我们可以在那里休息。"

龙飞感到很奇怪:"那里怎么会有'别院'?"

苏全回答:"我也不知道。从两百多年前我来到封岩镇投奔老爷的时候起,老爷每年都要到这座别院里住一段时间,长则一月,短则十天,而且不让我们伺候。也是因为这样,那里一年到头都有人打理。"

边说边走,三人转过一处山坳,苏全指着不远处的两座山峰道:"在那两座山之间,就是裂魂谷了。"抬起头看看天,他皱起了眉头,"最好快点,说不定天黑之前要下雨。"

"真的!"柳月惊呼道,"什么时候开始阴天了?"

这段路看起来很近,走起来却完全不是那么回事。柳月觉得那两座山近在眼前,却始终无法走到它们脚下。

天色很快暗下来,阴冷的山风带着呜呜的低啸声迎面吹过来,如同冰凉的水泼在身上,让柳月打了两个喷嚏,浑身不由自主地颤抖着。龙飞脱下自己的外套给她穿上,自己只穿一件衬衣,呼啸的阴风似乎对他没有任何影响。柳月对他感激地笑了笑。

走了一会,苏全松了口气,道:"就快到了,应该能……"忽然有一阵奇怪的哨子声打断了他的话,接着就听到周围传来细碎的"咯咯"声,好像是邪恶的幽灵躲在阴影中窃笑。

龙飞猛地一声大喝:"别动!"他的右手以闪电般的动作从腋下的枪套里拔出他最喜欢的那支沙漠之鹰,同时左手在空中划了个半圆,好像在抓什么东西。

"砰!砰!"枪声响起,接着苏全大叫一声,捂着左耳摔倒在地,发出痛苦的惨叫,鲜血不住地从手指的缝隙中流出来。

柳月被从身边呼啸而过的子弹惊呆了,木然地站在原地,不知道发生了什么。龙飞一步冲到她身边,将她拉到自己身后,大声道:"这里有危险,站着别动!"

听到这句话,柳月这才回过神来,尖叫着问道:"发生了什么事?你为什么开枪?!"

龙飞警惕地看着四周,反手将左手伸到柳月面前,张开手掌,头也不回地说道:"因为这个。"柳月看到他手中捏着一只圆滚滚的肉虫子,大概两寸来长、铅笔粗细,两端都是一个满是细小尖牙的圆形嘴巴,看不出哪一端是头部,浑身如同鲜血一般通红,正在不停地挣扎扭动着。

柳月莫名其妙道:"这是什么怪物?"

"操魂魔——确切地说是操魂魔的幼体。"龙飞手中的枪又响了一下,"你去看看那个家伙要不要紧,顺便替我道个歉,刚才从我的位置实在没有角度能避开他了。"

虽然不太明白,柳月还是走到苏全身边,小心地问道:"你没事吧?"苏全含含糊糊地咕哝了一句,也不知道是说有事还是没事,忽然浑身猛地抽搐一下,身体开始变形、缩小,转眼间变成了一只灰毛的狸猫,耳朵上豁开一道大口子,还有血不停地流出来。

柳月不知所措,回头对龙飞大声道:"他变成一只狸猫了!"

龙飞连开两枪,大声道:"狸猫?我还以为他也是狐狸呢。这样也好——你带上他,到我这里来!"

柳月"嗯"了一声,顾不得淋漓的鲜血,抱起苏全变成的狸猫,来到龙飞身后。龙飞将那条怪虫子装进口袋,然后一把抓住狸猫的脖子将他提起来,对柳月沉声道:"跟着我!"说完向前方冲过去。柳月不敢迟疑,寸步不离地跟在他身后。

　　幸运的是,他们离苏全说的苏府别院已经很近了。在没膝的野草中狂奔了十分钟之后,柳月和龙飞来到院子大门外。"砰"的一枪打开门上的锁之后,龙飞一脚踹开大门,闪身让柳月进去,然后随手把苏全变成的狸猫也扔了进去,自己持枪守在门口,警惕地看着四周,过了好一会才点点头,回身关上大门。

　　柳月怀抱着狸猫站在院子里,惊魂未定地问道:"已经安全了?"

　　龙飞点头道:"暂时是。"说着将手枪换上一个弹夹,然后放回枪套里,"那些家伙不敢靠近这座房子,大概是因为防御结界的关系。"

　　柳月松了口气,这才想起来问道:"袭击我们的那些怪物——你说是操魂魔——到底是什么? 还有,你怎么知道它们的名字?"

　　龙飞想了想,从口袋里掏出那条虫子拿在手里晃了晃,道:"我在《黑魔法大全》上看到过这些家伙,那本书上说所谓的操魂魔是下级恶魔的一种,能够寄生在任何生物体内,进而控制他们的心灵。现在这个样子是它们的幼体形态,只有在寄生主体内才能进化成成熟的恶魔,而且可以在体内进行分裂繁殖,就像是细菌或者草履虫一样。当寄生体快要死亡的时候,体内的操魂魔就会变成这样的幼体,再去寻找新的寄生主体。虽然很低等而且智力有限,但这些家伙却不容易被人发觉,所以在人类世界里应该也有不少操魂魔隐藏着吧。被这些小怪物寄生的人大部分都变成了白痴或者疯子,除非那些操魂魔是被高级恶魔操纵,才会有足够的智力参与行动。"

　　看着龙飞手中扭动的红色虫子,柳月觉得后背上毛毛的,问道:"它们怎么会出现在这里?"

　　"这就不知道了。不过先是变形怪,然后是操魂魔,这里说不定是要开东西方妖魔的联谊会……"摇头苦笑着,龙飞走到狸猫旁边,"真是个倒霉的家伙,看来无论是妖怪,还是恶魔对硝酸银子弹都没什么免疫力。"一边嘟囔着,他把那条虫子拿起来捏烂,将流出来的亮红色液体滴在狸猫耳朵的伤口上。这些液体在伤口表面展开成了一层薄膜,立刻止住了血,并且开始飞快地变干,形成了一块血痂。

　　扔掉死掉的虫子尸体,龙飞兴高采烈道:"书上说操魂魔幼体的体液有很强的治疗作用,看来是真的。"

　　柳月干呕两声,"你抓住那个怪物就是为了试验这个?"

　　龙飞摇头道:"不是,书上说这些家伙的味道就像加过芥末的生鱼片,我很想尝尝……对了,书上还说吃它们对皮肤有好处,你要是想试试看的话,我这就去再抓两条回来。"

柳月连忙摆手道:"不、不用了!"只是想象把这种奇形怪状的东西放在嘴里,她浑身就已经起了一层鸡皮疙瘩,根本没有胆量去尝试一下。

不过操魂魔幼体体液的医疗作用的确不错。狸猫苏全发出一阵古怪的叫声,翻身跳起来,嘶叫着问道:"发生了什么事? 刚才是谁开枪打我?"

龙飞拍拍他的脑袋,"是我打的你,不过却是为了救你的小命!"接着把事情的经过简单介绍了一遍,最后道:"我看那些恶魔现在应该正等在结界外面,准备拿我们来做它们的安乐窝呢。"

苏全将信将疑,道:"那现在你们要怎么办?"

龙飞抬头看看天,"现在要进屋里去——开始下雨了!"

这个别院只有一间青砖瓦房,而且里面的陈设也非常简单,只有一张床和一套桌椅,显然苏岚并没有在这里招待客人的打算。

雨越下越大,打在房瓦上发出叮叮咚咚的声音。龙飞盯着紧闭的大门,似乎正在倾听着什么。苏全受的伤不轻,暂时不能变成人形,还是狸猫的样子。

柳月冻得小脸发白,哆哆嗦嗦地问道:"那些怪物……还在外边吗?"

"肯定在,它们不会轻易放弃的。"龙飞回头看到柳月的样子,意识到这样下去她恐怕坚持不了多久,略一思索,"得生堆火才行。"这里没有木柴,所以那张古色古香的楠木书桌就成了代用品,苏全本来想阻止,却因为失血过多而动弹不得,只能眼睁睁地看着龙飞徒手把那张书桌拆成了一堆柴火,嘴里嘟囔着:"这可是明朝的啊!"

烧了两本不知道哪朝哪代的古书,龙飞在屋里点燃了一堆篝火,这才苦笑道:"要是月炎在就方便了,一个火球下去,说不定连房子都着了。"

柳月歉然道:"对不起……"在火焰的温暖下,她感觉好多了。

"这又不是你的错,为什么要道歉?"说到这里,龙飞忽然露出一个古怪的表情,"说起来,这似乎是我的错呢……"

柳月莫名其妙道:"你说什么?"

"哦,没什么。"龙飞顾左右而言他,"我听到好像有人来了。"

柳月一愣,然后就听到大门被拍得"嘭嘭"直响,有人高声道:"快开门!"另外一个声音道:"让开! 急急如律令,开!"随着这声断喝,院门轻轻抖动两下,接着自动向两边敞开,一群人涌了进来,看衣着打扮就是今早在封岩镇苏岚府上见过的蜀山派道士们。其中立刻有人看到龙飞等人,惊讶道:"这里竟然有人!"

龙飞揶揄道:"当然有人,要不然你们刚才是叫鬼去开门?"

"难道……是龙兄?"随着一个熟悉的声音,方明狐走进来,惊喜地大声道,"真的是你!"其他道士给他让开一条路,态度很是恭敬,而且带着一种发自内心的佩服。

"哦,是你啊!"龙飞挥挥手算是打过招呼,"你们怎么跑到这里来了?"

方明狐叹了口气,道:"一言难尽。我有几位同门受伤了,能不能让他们进去避避风寒?"

柳月急忙招呼道:"你们都进来吧,不过可能会有点挤。"

道士早就被阴冷的风雨冻得直打哆嗦,这时急忙鱼贯而入,屋子里一下多了这许多人,变得十分拥挤。龙飞和柳月发现他们身上都带着伤,有几个还是被同门抬进来的,被雨水浸透的衣襟上隐约能看到一片片暗红色的血迹。道士们把受伤的同伴放在地上,然后掏出伤药敷在伤口上。

方明狐没有进屋,而是站在屋檐下,犀利的眼神透过朦胧的雨幕,紧盯着大门外面的山野。他的肩膀和后背都受了伤,不过看起来并不太严重。衣服上的裂痕好像被巨大的利爪撕开的一样,

龙飞走出门,来到方明狐身边,拍了拍他的肩膀,道:"你们好像遇到麻烦了?发生了什么事?"

"我们被伏击了。"方明狐脸上露出痛苦的神色,"包括东方青师叔在内,有四个人被那些怪物抓走了。"

"什么样的怪物?"

"恶魔——不是妖怪,而是那些头上有角,背后有翼的东西。"方明狐的视线扫过龙飞的脸,然后又回到大门外,"你应该明白我说的是什么。"

龙飞点点头:"是欧洲传说中的某种恶魔吧。事实上,刚才我们也碰到了类似的家伙,只不过看来并没有你们碰见的这么麻烦罢了。"

方明狐转过头,愕然看着龙飞:"你们也碰见恶魔了?"

"确切地说,是操魂魔的幼体。"

方明狐大概没听过这种恶魔,只是点了点头,道:"你们来这里做什么?"

龙飞道："我们的一个朋友在裂魂谷失踪,据说很可能是被恶魔抓去了,所以我们来这里找她。"顿了顿,继续道:"你们呢?"

方明狐理顺了一下思路,道:"我们离开封岩镇之后,就回到三十里外的一个小山村休整——那里有我们蜀山派的一个秘密据点。可是当我们到那里的时候,却发现整个村里的人都不见了,不,是连一个生物都没有了。遍地都是肉块和血迹,那种情形真的是像人间地狱一样……"说到这里,他摇摇头,似乎是想把那恐怖的景象从脑子里驱逐出去,"顺着路上的血迹,我们骑马一直追到这附近的山脚下,然后就被一群恶魔袭击。它们忽然从天空中俯冲下来,从草丛里窜出来,从地底下钻出来,让我们措手不及。东方青师叔和另外三个人还没来得及作出反应,就被它们抓走了。我和其他人好不容易才杀出重围,然后一路逃来这里,大概是因为这附近的结界,让那些恶魔不敢靠近。"虽然没有详细说出来,不过他们肯定经历了一串惊心动魄的恶战才来到这里。

龙飞笑道:"妖怪设下的结界竟然帮了道士的忙,要是那个叫东方青的家伙在这里的话一定会气得大叫。"

方明狐疑惑道:"妖怪设下的结界?"

"这里是苏岚的房子——就是封岩镇的那只老狐狸,这个结界也是他设立的。"

方明狐恍然大悟,点头道:"难怪房屋周围的结界如此坚固,那些恶魔也无可奈何……嗯,有机会一定要向他道谢才行。"

龙飞道:"我以为做道士的都不喜欢妖怪。"

方明狐摇摇头,道:"人有好坏之分,妖怪亦然。并不是所有的人类都是善人大士,同样,也并不是所有的妖怪都是匪徒恶党。所以是人是妖并不重要,关键是是否有一颗善良的心。"说到这里不好意思地笑了笑,"这并不是我说的,而是家母的口头禅。"

龙飞竖起大拇指:"你有个了不起的老娘,有机会一定要去拜见一下!"

方明狐微笑道:"荣幸之至。"

这时一个年轻的道士走过来叫了一声:"方师弟。"看看龙飞,欲言又止。

方明狐道:"没事,这个朋友可以信任。"

年轻道士干咳一声掩饰自己的尴尬,然后道:"里面有一只受伤的狸猫精,我们该怎么办?"

方明狐向龙飞看去，后者耸耸肩，道："那是苏岚的一个仆人，名叫苏全，就是他带我们来这里的。"

方明狐点点头，转头对那个年轻道士说道："给他治疗一下伤口。"

龙飞怪笑道："这就不必了，我刚给他用了'灵丹妙药'，你们只要让他躺在那里就行了。"

那个年轻道士离开之后，龙飞奇怪道："他叫你'师弟'？"

方明狐解释道："我在不久之前才正式被师父收为弟子，比他们入门都要晚，所以是师弟。"苦笑一下，"说实话，这是他们第一次称我为师弟，以前都是叫我的名字。"

龙飞蛮有把握地说道："那是因为嫉妒。现在则是因为你的力量让他们不得不承认你。"

方明狐愕然道："嫉妒？"

"是啊，嫉妒你拥有的力量，或者其他的事情——比如说，女人缘？"说到这里，龙飞忽然想起来，问道："那个叫东方云秀的丫头身体怎么样了？怎么没和你在一起？"

方明狐脸上微微一红，道："虽然不知道为什么，不过她的身体变得很健康了。最近为了参悟天剑，她需要闭关一段时间，暂时都不能离开总舵。"

龙飞满意地点点头："健康就好……"一声低沉的吼叫淹没了他后面的话，所有人都停下手中的事情，抬起头倾听着这种似乎可以碾碎灵魂的声音，脸上露出恐惧的神色。

方明狐脸上变色道："是那些恶魔，它们来了！"将短剑握在手里，严阵以待。

龙飞也拔出枪，饶有兴致地看着雨幕后面的黑暗，不知道是对方明狐说话，还是在自言自语："来的会是什么东西？"其他道士这才如梦初醒，纷纷准备战斗，不过他们身上带的符咒已经在刚才的战斗里消耗殆尽，现在颇有点惴惴不安。

又是一声低吼，这次近了许多。黑暗中传来无形的压力，紧张的气氛使得周围的空气似乎都变成了黏稠的液体，让人几乎无法呼吸。随着沉重的脚步声，一只小山一样的怪兽从黑暗中走出来，停在结界范围的边缘。一个人形有翼的恶魔站在这个怪兽肩上，用英语大声叫嚣着："你们这些卑微的人类，如果以为躲在里面就是安全的，那就大错特错了！对伟大的克劳门特男爵——也就是我——来说，这个结界就像是一层薄薄的纸,只要我动动手指,就能把它打得粉碎,然后你们的命运就——"

"砰"的一声枪响打断了他的演说,接着传来一声惨叫。

龙飞吹走枪口的青烟,笑道:"说实话,我挺喜欢这家伙的,让我想起来一个老朋友。"

这一枪显然把那个"克劳门特男爵"伤得不轻,至少他那很有金属质感的大嗓门没有再响起来。短暂的混乱之后,那只高大的怪兽弯了一下腰,似乎从地下抓起来什么东西,然后转身向黑暗中走去。与此同时,院子周围响起嘈杂的声音,好像有许多恶魔正在离开。

龙飞取下弹夹检查一下之后又装上,对方明狐道:"帮我照顾一下那个女孩,至于那只狸猫,我回来的时候只要看到他还喘气就行。"说完向门外走去。这时雨已经停了,黑暗中不时传来一两声清越的虫鸣。

"等等!"方明狐叫住他,"你要干什么?"

龙飞理所当然地说道:"当然是跟上那些家伙,看看它们要到什么地方去。"皱起眉头看着方明狐,"你不会想阻止我吧?"

"不,我和你一起去。"

龙飞一愣,随即笑了:"走吧!"

临走之前,方明狐进屋去向其他人交代一下。龙飞走到大门口,自言自语道:"这个结界,看来有必要加强一下……"

第七章
背 离

雨后的空气中弥漫着淡淡的泥土清香，令人的精神为之一爽，只是夹杂其中的刺鼻硫磺味有些煞风景。

"该死的人类！"克劳门特男爵愤怒的吼声在黑暗中传出去很远，"我要把他们撕成碎片，然后把他们的骨头做成灯台！"那颗子弹击中了他的左胸，在那里留下一个焦黑的深坑。这种外伤对他这个等级的恶魔来说算不了什么，但那颗子弹似乎带有魔法的力量，破坏了他的灵体结构，给他带来了相当严重的伤害。所以，现在他只能坐在雷兽宽阔的肩膀上嘶叫着，对人类致以恶魔之舌的问候。

一只一尺多高的蒙特小恶魔从前面飞过来，收拢翅膀停在克劳门特男爵身边，用带着"叽叽"声的细小嗓音尖叫道："男爵阁下，卡格梅罗大人问您为什么还没完成任务。"

克劳门特脑子里仇恨的干柴被这个火星点燃，瞬间就变成了熊熊大火。他咆哮起来："大人?! 那个下等的吸血鬼有什么资格被称为大人！"猛地伸手，他抓住那个蒙特小恶魔。可怜的小家伙根本无力反抗，只能在他手心里徒劳地尖叫、挣扎着。克劳门特抓住它的翅膀，狞笑道："记住该怎么和贵族说话，这是给你的教训，蠢货！"双手一分，猛地将小恶魔的翅膀扯了下来，然后把血淋淋的小恶魔和撕下来的翅膀随手一扔，轻蔑道："告诉那个吸血鬼，等他有了爵位再来和我说话！"旁边又飞来两只蒙特小恶魔，一言不发地提起那只受伤的小恶魔，匆匆忙忙地飞走了。

这个小插曲让克劳门特胸中的郁闷舒缓了不少，就连胸口的伤似乎也不那么疼了。"先找弗德里克把伤治好，然后立刻回去把那些该死的人类抓住,可是不能立刻杀死他们,我要让他们好好体验一下地狱里最受欢迎的行为艺术!"想到这里,他的脸上露出一个邪恶而冷酷的笑容。

远远的地方,龙飞和方明狐将自己的身形隐藏在齐腰深的草丛里,阴冷的潮气并没有给他们带来什么麻烦。因为那只高大怪兽周围簇拥了不少各种各样奇形怪状的恶魔,天空中也有恶魔的身影盘旋来往,所以他们必须小心翼翼,才能不被发现。不过相对的,这种大阵势让他们跟踪起来也容易了许多。

方明狐低声道:"它们要去哪里?"说话的时候,他们并没有停下脚步。

龙飞不知道从哪里拿出一张地图,在黑暗中翻来覆去地看着。"大概是裂魂谷吧,如果我没弄错方向的话。"

"给我看看。"从龙飞手中接过地图看了看,点点头道,"没错,按照他们现在的方向就是去那里。"忽然意识到一个问题,惊讶地看着龙飞,"你怎么能在这里看清楚地图?"虽然雨已经停了,但云并没有散开,所以这里几乎还是伸手不见五指,天空中那些恶魔身上偶尔迸出的火光就是附近最明亮的光芒。龙飞的地图很普通——防水,但是没有夜光。

龙飞龇牙一笑,反问道:"你呢?"方明狐看地图的时候也没有照明。

"我?"方明狐被他问得一愣,"我从小就能在暗中视物,家母说这是天赋异禀。"

"哦,原来如此。"龙飞笑得很是诡秘,"那么我也是一样。"

虽然并不太相信龙飞的话,不过方明狐也不好再继续追问下去。就在这时,他们发现远处恶魔的队伍在一处山谷外面停下,那个自称克劳门特男爵的恶魔从怪兽肩上跳下来,独自向山谷中走去。

方明狐点头道:"没错,看来就是这里,裂魂谷。"

龙飞看看四周,奇怪道:"有人告诉我,晚上这里会有许多鬼魂。可是怎么一个都看不到,难道是哪里有人请客,都跑去吃饭了?"

方明狐没理他,抬头看了看周围的环境,对龙飞低声道:"你在这里等,我进去里面看看。"

龙飞撇撇嘴:"为什么是你?"

方明狐冷静地说道:"现在看来,从正面进里面是不可能的,所以我打算从山谷的侧面翻山进去。在这种情况下,我的御剑术正好能发挥作用。"

"你的意思是说,你要飞进去?"

方明狐肯定地点点头："是的。"

龙飞拍拍他的肩膀，说道："那好吧，你用你的方法进去，我用我的。"说完站起来，大步向守在谷口的恶魔走去。方明狐想阻止他已经来不及了，只能眼睁睁地看着龙飞走过去。出乎意料的是，那些恶魔不但没有向龙飞发起攻击，反而自动让开一条路，恭敬地看着他大摇大摆地走了过去，然后才回身继续在山谷口守卫着。方明狐看得呆了，不禁怀疑这些恶魔是不是脑筋有问题，或者龙飞就是那些恶魔的亲戚朋友。不管怎样，他都不敢学龙飞的样子走过去，潜行绕了半个圈，这才祭起天剑，短暂的飞行之后，他在裂魂谷一侧的山峰上落下来。

从这里看下去，山谷里到处一片灯火通明，但仔细一看却会发现那并不是火光，而是无数飘荡的幽魂发出的光芒。就在他寻路下山的时候，远处传来嘈杂的嘶叫声，几个恶魔走过来，方明狐不想暴露行踪，将自己的身形隐藏在一块岩石后面，准备等那几个恶魔经过之后再行动。

恶魔的脚步声来到离他不远的地方停了下来，方明狐灵敏的耳朵让他听到那几个恶魔低声嘀咕了几句什么。虽然听不懂它们的语言，方明狐的直觉告诉他情况不太对，忽然耳边风声响起，急忙一闪身。几乎是与此同时，一柄钢叉穿过藏身的岩石，从刚才所在的位置旁边擦过去，上面熊熊燃烧的黑色火焰卷起森然寒意，让方明狐感到浑身的血液都要被冻住了，动作也变得有些迟缓。

情急之下，方明狐不顾一切地挥剑斩在钢叉上，剑身亮起耀眼的白色光辉。"叮"的一声清响，短剑的光辉暂时压制了钢叉上的黑色火焰，方明狐借势向后翻出，在空中大喝一声："疾！"短剑脱手，化作一团刺眼的白光向钢叉刺来的方向射去。

钢叉向后一拖一带，准确无误地砸在白光上，将它格飞出去。方明狐这才看清楚，那是一个长着公羊脑袋和人类身体的恶魔，足有两米半高，头上弯弯的犄角在黑暗中发出米黄色的光。在旁边还有六个长像差不多的恶魔，不过头要矮一些，头上的犄角不会发光，手中的钢叉上也没有黑色的火焰。它们站在四周把方明狐离开的道路封死，不过似乎并没有冲上来围殴的打算。

那个犄角发光的恶魔将手中的钢叉运转如风，游刃有余地挡住了好几次飞剑的奇袭，忽然猛地一挥钢叉，将短剑远远砸飞出去，然后举起钢叉指着方明狐，山羊一样的长脸上满是傲慢的神色，用磕磕巴巴的英语说道："人类，弱！"另一只手指了指自己，"恶魔，强！"

　　方明狐知道飞剑对眼前这个恶魔没什么作用,挥手将之召回来握在手里。剑身上流转的光华逐渐内敛,好像被吸进去一样。很快所有的光芒都消失了,短剑的剑身变得如同一块晶莹的白色水晶。

　　恶魔的山羊脸上露出兴奋的神色,忽然大吼一声,手中钢叉如同毒龙蹿空一般向方明狐刺来。钢叉上的黑色火焰同时暴涨,在叉身周围形成了一个漆黑的火焰龙卷。

　　方明狐丝毫不惧,短剑灵巧地一翻向钢叉迎上去。没有金属撞击声,粗大坚固的钢叉和附着在上面的黑色火焰漩涡被精确地剖成了两半。短剑没有丝毫停顿,摧腐拉朽般切开挡在锋刃前的一切。

　　羊头恶魔意识到不妙,他的反应也极快,立刻放开叉柄向后跳开,却终于慢了一步。剑光一闪而过,恶魔的右手前臂被整齐地切了下来。

　　方明狐心中暗叫可惜,他用这招"陨光剑"原本是想一击将这个恶魔头目的脑袋削下来,然后乘势用飞剑击杀其他羊头恶魔。现在一击未中,"陨光剑"对灵力的消耗太大,因此绝难持久。心念急转直下,他手中的短剑再次光芒暴涨,脱手向那恶魔咽喉射去。虽然看起来声势惊人,但是威力却比起刚才削断钢叉的那一剑差了一大截。

　　恶魔向后疾退避开飞剑,同时伸出左手将旁边一个恶魔手中的钢叉抓过来。到了他手中之后,原本毫无特异之处的钢叉立刻燃起黑焰,接着看也不看就是回手一叉,将从背后袭来的短剑磕飞,单手用叉竟然威力丝毫不减。

　　看起来这次交锋是方明狐占了便宜,但是他自己却心知肚明,自己能削断那恶魔的手臂,多半还是靠了手中白虎短剑的犀利,而那个恶魔竟然能将普通的钢叉化作魔法武器,只是这一手就让方明狐自愧不如。现在看他断了一条手臂之后却丝毫不乱阵脚,这份从容让即使是敌人的方明狐也不得不敬佩三分。

　　砸开飞剑之后,那个恶魔却不着急进攻,而是单手向方明狐举起钢叉,用他那蹩脚的英语大声道:"人类,不错,再来!"

　　方明狐召回飞剑,正要凝聚力量再施展一次陨光剑,忽然觉得左肩一下刺痛,好像被什么叮了一下。他本能地扭头看去,发现一支两寸来长的小箭插在自己的肩膀上,接着他就感到一阵天旋地转,眼前一黑什么都不知道了。

　　羊头恶魔们同时发出一声愤怒的嘶叫,那个犄角发光的恶魔用地狱通用语大吼道:"克劳瑞斯!你这个没有脚的婊子,竟然敢夺走老子的乐趣!"

随着一阵娇媚的笑声,一个身影从黑暗中无声无息地滑出来。她的上半身是人类的样子,下半身却是蛇的尾巴,头发是伸缩不定的毒蛇,不停地吐着血红的蛇信——毫无疑问,这是个美杜沙。"不要这么生气,伊莱斯密伯爵,我只是想让你少费点力气罢了。"话音中带着一种奇异的"嘶嘶"声。

被称作伊莱斯密伯爵的羊头恶魔抬起头不去看美杜沙闪烁着妖异光辉的眼睛,恼怒道:"我乐意!这个人类是难得的对手,我正打得高兴,你却用卑鄙的毒箭把他杀了!"他并不怕这个美杜沙,因为他有自信闭着眼睛也能轰碎她那颗满是毒蛇的脑袋。事实上,他相信那个人类对手也能做到这一点。

叫克劳瑞斯的美杜沙发出一阵笑声:"纠正一下,那只是麻醉箭,不是毒箭。所以,我也没有杀他。"

"哦?"伊莱斯密伯爵似乎很高兴,"那就快把他弄醒,我要继续打!"

克劳瑞斯摇头道:"那可不行。"

伊莱斯密怒吼道:"我是伯爵,而你只是子爵,所以你必须服从我!"

"将合适的材料带过去,这是弗德里克大人给我的命令。你说我应该服从谁的命令?"克劳瑞斯不怀好意地笑了,"是不是需要我来提醒您,弗德里克大人是撒旦大人亲自封的公爵?"

伊莱斯密没了脾气,气哼哼地嘟囔道:"好吧,你把他带走!"

克劳瑞斯轻笑一声,轻轻吹了一声口哨,立刻有两个恶魔从黑暗中走出来,抬起软倒在地的方明狐就走。"我替弗德里克大人感谢您对撒旦大人的忠诚。"说完,克劳瑞斯扭动着身躯跟着那两个恶魔消失在黑暗中。

看着她离开的方向,伊莱斯密伯爵咬牙切齿地自言自语道:"这个婊子……我早晚要杀了她——先奸后杀,杀了再奸!"旁边他的手下窃窃私语:"大人竟然要奸杀那个蛇女,真是太有恶魔气概了!让我连想都不敢想。""不只是这样啊,大人还要奸尸呢!""想不到大人有这种嗜好!""恋尸癖啊!好刺激!"……

"都给我闭嘴!"伊莱斯密愤怒的吼声结束了这场无聊的讨论,"你们去跟着那个蛇女,看看她怎么处置那个人类。"手下们离开之后,他走过去拾起自己断掉的手臂,将它和胳膊的创口对齐,转眼之间就已经接好了。活动两下,他满意地点点头,自言自语道:"如果那个人类能魔化成功……很值得期待啊!"

朦朦胧胧中,方明狐感到一个滑腻腻的东西在自己的脸上滑来滑去,冰凉冰凉的。猛地睁开眼睛,他看到一根火红的蛇信在眼前伸缩两下,接着飞快地缩了回去。

"你和那个人类长得一样,却不是那个人类,所以,你到底是谁?"笨拙的英语中夹杂着"嘶嘶"的声音,听起来似乎是个女人。

短暂的眩晕之后,方明狐的眼睛适应了这里的光线,看清楚在自己面前的是一个满头蛇发的恶魔。她戴着一块半透明的粉红色丝巾遮住上半张脸,殷红的樱唇微微张开,露出里面细小的尖牙,青紫色的舌头一吞一吐,舌尖分叉,如同毒蛇的蛇信。

方明狐不懂英语,所以不懂那个恶魔说的是什么,不过他知道自己碰到的是什么,几乎是呻吟着道:"美杜沙……"

"这是你的,名字?"那个美杜沙的声音中透出好奇,"不,不是……你在说我?"她用尖长的手指指了指自己,"我的名字是克劳瑞斯,子爵。"

方明狐听不懂她在说什么,但是他很清楚只要看到美杜沙的眼睛,自己就会变成一座石像。在王思暮手下的时候,他曾经看到过关于这种恶魔的资料。据说王思暮曾经试验给人类移植这种恐怖的眼睛,但是没有成功,因为负责动手术的医生都变成了"栩栩如生"的雕像。

克劳瑞斯又问道:"你是谁? 和那个人类有什么关系?"

方明狐莫名其妙,当然也就不知道该怎么回答。

就在这个尴尬的时刻,一个含混不清的声音传了过来,说的是地狱通用语:"克劳瑞斯子爵阁下,弗德里克大人叫您过去。"

克劳瑞斯不耐烦地挥挥手:"我知道了。"对方明狐说道:"你等在这里,不要出去。"然后扭动着蛇身离开了。

方明狐这才有机会观察周围的情况,他发现自己是在一座圆顶的帐篷里,正躺在一堆色彩鲜艳的布料中,确切地说,整个帐篷里都堆满了这种不知道用什么材料织成的彩布。帐篷外面传来粗重的呼吸声,可见周围都站满了恶魔,这让方明狐不敢轻举妄动。如果这些恶魔个个都像刚才那个山羊头一样厉害,那贸然冲出去肯定就是找死。

无可奈何之下,方明狐忍不住抱着头发出一声呻吟:"我这是在什么地方?!"

"裂魂谷下面的地城里。"随着声音,帐篷的布帘被掀开,一个人走进来,方明狐惊讶地发现来的人竟然是龙飞。

"你怎么样?"龙飞问道。说话的时候他的眉头紧皱着,看起来好像遇到了十分难解的问题。看到他这个样子,方明狐不禁有些惊讶,因为他印象中的龙飞始终带着成竹在胸的从容微笑,即使是深陷重围也是如此。

龙飞又问了一遍:"你怎么样?"

方明狐答道:"我没事,就是有点头晕。"

"哦,没事就好。"龙飞似乎有些心不在焉,"拿上你的剑,走吧。"

方明狐刚才就发觉自己的白虎剑就在一旁,这时站起来走过去将它从布料堆里找出来握在手里,剑柄上传来的熟悉触感和灵觉让他的心情镇定了不少。"那些恶魔为什么不袭击你?"这个问题他已经疑惑好久了。

龙飞漫不经心地答道:"我身上有件东西能发出他们老板特有的气味,所以这些恶魔都不敢得罪我。"

方明狐当然知道恶魔的老板是魔王撒旦,虽然不知道龙飞说的是什么东西,但这个解释至少让他明白了恶魔对龙飞恭恭敬敬的原因。恍然大悟地点点头,他又问道:"你刚才去哪里了?"

"在这附近转了转。"

方明狐记得龙飞说过来找一个朋友的,于是问道:"找到要找的人了吗?"

这句话让龙飞的神色一黯。就在方明狐以为他没找到人的时候,龙飞神色沮丧地点了点头,道:"找到了。狐狸和东方剑,都找到了。"

"东方剑?"方明狐吃了一惊,追问道,"他怎么会在这里?!"

龙飞黯然摇头:"大概和这里的封印有关吧。"

方明狐脱口而出:"咱们去把他们救出来!"话刚出口就意识到不太可能。他现在是自身难保,而龙飞如果能救出人来的话,应该早就动手了。

龙飞叹了口气,道:"现在没办法。他们的灵魂和那个古怪的装置已经连接在一起了,稍有不慎就是魂飞魄散的结局,就算是我也救不了。"

方明狐疑惑道:"什么装置?"

"一个用来打开封印结界的魔法装置。"龙飞似乎并不愿意多说这个魔法装置的事情,"你赶快离开这里吧。"

"那你呢?"

"我要留在这里,等待机会。"

"那我也留下来。"

"你留下?"龙飞的心情很不好,不耐烦地挥手道,"你留下能做什么?告诉你,随便一个恶魔伯爵都不是你能应付得了的,而这里至少有六个伯爵、四个侯爵和两个公爵,等到仪式开始的时候,黑魔达亚德也会从地狱来到这里,还有那个该死的撒旦!"

方明狐对他的话似懂非懂,不过还是意识到事情的严重性,骇然问道:"这些恶魔到底想干什么?"

"当然是为了让撒旦大人恢复力量!"话音未落,整座帐篷随着刺耳的"吱吱"声裂成了无数碎片。方明狐发现帐篷周围里三层外三层地围满了无数恶魔,各式各样的翅膀、尾巴和尖角耸立如林,令人眼花缭乱。

"的确是个不错的材料,哦,还有一只冒充猫的小老鼠。"说话的恶魔脸上布满了奇异的花纹,四肢细长得不成比例,好像放大了数百倍的蜘蛛,他说的是汉语,发音还算标准,"很好,很好。是不是,克劳瑞斯子爵?"美杜沙克劳瑞斯在他身边不安地扭动着身躯,似乎根本不敢回答。

龙飞忽然冷冷地问道:"你是弗德里克?"

弗德里克有些意外:"你知道我?"

龙飞继续问道:"那个该死的装置就是你造的?"

弗德里克得意道:"确切地说是我设计的,至于建造这种粗活,我没有兴趣。"

"好,很好……"龙飞冷冷地看着弗德里克,看起来恨不得将他生吞活剥,不过他并没有掏枪,而是对方明狐说道:"走吧。"白光一闪,两人的身影在恶魔众目睽睽的注视下凭空消失。

这个突如其来的变化让恶魔们一阵哗然。弗德里克也很是意外,自言自语道:"不借助魔法阵就能转移空间……这怎么可能?! 不,他一定使用了小型的魔法阵,只不过隐藏得很好罢了!"接着回头大声招呼道:"去把我那条叫做卡格梅罗的狗找来,告诉他,我有事情要让他去做!"

第八章
翅　　膀

方明狐只感到眼前一花,周围的景色就完全变了。围得密不透风的恶魔统统不见了,他们周围是一片潮湿的旷野,远处的山峰上正在升起一抹火红的晨曦。

眨了眨眼睛,方明狐才问出声来:"发生了什么?"没有人回答。

回头一看,方明狐没看到龙飞,却发现那座苏府的别院就在不远的地方。无可奈何之下,他只好带着满腹的疑惑向那边走去。

走到院子附近,方明狐发现这里就像是战场一样,到处是恶魔的尸体。再走近一些,他发现院门大开着,里面没有任何声息,一种不祥的预感油然而生。三步并作两步,他冲进门去,这才发现另一边的院墙完全倒塌了,好像被几十公斤 TNT 炸开了一样。空气中弥漫着一种令人作呕的腐败血腥气,让方明狐几乎要屏住呼吸。

方明狐急忙高声叫道:"有人吗?刘师兄,王师兄!"没有人回答。几步抢进去,他看到本来拥挤不堪的房间里空荡荡的,人都不知道哪里去了。和外面一样,院子里也躺了不少恶魔的尸体,方明狐一眼就认出来,其中一些尸体上的伤痕是自己的同门造成的,另一些则被烧成了焦炭,不知道是什么法术造成的。

轻轻的抽泣声传来,方明狐猛地回头,发现柳月蜷缩在墙角里,身边有一个鸽子大小的亮蓝色光团飘在她身边,看不清楚是什么东西。

方明狐一步跨到柳月身边,急切地问道:"发生了——"忽然蓝光一闪,方明狐只觉得一股大力迎面扑来,身体不受控制地向后摔倒,接着就看到一双宝石样的蓝眼睛在不到十公分的地方紧盯着自己,炽热的呼吸一阵阵喷在脸上。

"别,他不是敌人!"柳月的声音很虚弱,却很有效。扑在方明狐身上的怪兽没有攻击,轻轻飞起到空中。方明狐看清楚这家伙大概四尺来高,背后有一双透明的膜翼缓缓扇动,粗大的尾巴灵巧地挥来挥去。它的通体是一种晶莹的宝蓝色,似乎并不是实体。方明狐坐起来,目瞪口呆地看着这个怪兽的身躯逐渐缩小,又变成一个蓝色光球飞回柳月身边,喃喃问道:"这是……什么?"

"我不知道……"柳月虚弱地摇摇头,脸上还带着泪痕,"但是它从那些恶魔手中救了我。"

"恶魔?"方明狐急忙问道,"到底发生了什么事?"

柳月定了定神,道:"你们离开之后过了一阵子,那个叫克劳门特的恶魔男爵又带着许多恶魔回来,不过他们根本无法冲破这里周围的结界,还被结界反震的力量杀伤了不少。那些恶魔见占不到便宜,就暂时撤退了。"她擦了擦脸上的泪水,扶着墙站起来,"不久之后,有人在结界旁边求救,那些道士说是'青师叔'逃回来了,都很高兴,想去把他接应过来。"

方明狐忍不住惊讶地问道:"青师叔回来了?"随即就意识到不会是这么简单。

"不……"柳月眼睛里透出一丝恐惧,"刚被拉进结界,那个人忽然像气球一样飞快地涨起来,接着就'嘭'的一声爆炸了。"她哆哆嗦嗦地举起手指了指门外倒塌的院墙,"旁边的人都被炸碎了,同时院子周围的结界也崩溃了。然后那些恶魔从四面八方冲进来,把其他人都抓住带走了。就在它们要抓我的时候,它忽然出现在我身边。"柳月看了看那个蓝色光球,"留在这里的恶魔都被它喷出的火焰烧死了。"说到这里,柳月忍不住又哭出来。

方明狐总算知道了大概的经过,问柳月道:"你受伤了吗?"

"不……没有。"柳月摇头啜泣道,"我真是没用,只能眼睁睁地看着他们被抓走,我什么都做不了! 如果是月炎的话……如果是月炎的话一定会有办法……"她痛苦地坐在地下,抱着头发出"呜呜"的哭声,就像是个普通的小女孩那样。蓝色光球在她脸上轻轻蹭着,似乎是在安慰她。

方明狐叹了口气,不知道该用什么话来安慰这个小姑娘。他曾经以为那些恶魔不过是凭借数量来取得优势,单个恶魔的力量并不足惧,但是那个山羊头恶魔的出现彻底打碎了他这个天真的想法。凭自己的力量,他完全不可能和那些恶魔抗衡。

柳月的哭声渐渐小了,最终停止了哭泣。就在方明狐担心她悲伤过度的时候,柳月忽然站起来,摸了一把脸上的泪水,自言自语道:"嘿,都哭成个大花脸了!"看看方明狐,"你就是方明狐——那个蜀山派的家伙?"

方明狐愣了一下,他感觉到眼前这个女孩突然变成了另外一个人,莫名其妙地问道:"你不是柳月——你是谁?"

女孩挥挥手,"我是月炎,柳月的姐妹。"她脸上泪痕宛然,嘴角却带着满不在乎的笑容,"我们共用这个身体。"

方明狐还是不太明白,问道:"那么,柳月呢?"

"她睡着了,所以现在是我做主。"月炎盯着方明狐,问道:"龙飞呢?你们找到小宁了没有?"一边说着,她伸出双手把那个蓝色光球抱住,拿到眼前仔细研究。

方明狐简洁地说了一遍遇到的事情,最后道:"我被某种法术送到这附近,但是没有看到龙飞,所以我也不知道他现在在什么地方。"

"是这样啊……"月炎若有所思,"恶魔? 真是麻烦的东西……你也这么认为吧,姆斯比尼。"

一个小小的火焰人形出现在她身边,不满道:"我可不愿意和那些家伙打交道,它们身上的硫磺味太难闻了。"她绕着月炎手里的蓝色光球飞了两圈,好奇道:"这是什么东西? 似乎是个精灵,又不太像……"

月炎使劲拍打着那个蓝色光球,大声问道:"喂,你到底是什么东西?"

"我的大小姐,不要再拍了。"光球旋转几圈,变成个一尺多高的小怪兽,忽扇着一双蝙蝠一样的膜质翅膀,身后还有一根细长的尾巴,浑身如同蓝宝石般璀璨晶莹,看起来非常可爱。方明狐认出这就是刚才袭击他的那个怪兽,不过体积缩小了许多,看起来也没有那种令人恐惧的压迫感。

月炎和姆斯比尼对视一眼,都从对方的眼中看到了惊讶。"一个小恶魔? 不对……"月炎摇摇头,"难道是一条小龙?"

"差不多。"那个小怪兽灵巧地躲过月炎抓过来的手,在空中转了个圈躲到月炎身后,"别抓,我怕痒!"

月炎猛地转身,不过那个小怪兽的动作更快,一闪身随着她的动作又转到身后。试了几次之后,月炎恼羞成怒地对姆斯比尼道:"帮我抓住它!"姆斯比尼耸耸肩:"它的动作比我快,我抓不住。"

"好吧,我不抓你了。"月炎放弃了努力,"你到底是什么东西?"月炎不太相信这个小怪兽是一条龙。东方传说中的龙确实存在,这是经过妖魔猎人协会证实了的,但是最近数百年来,从来没有确实的证据显示西方传说中的龙确实存在的,所以妖魔猎人协会中有很多人都相信,流传于罗马尼亚地区那些关于龙的传说不过是对恶魔崇拜的某个变种。

小怪兽飞到柳月面前,歪着脑袋想了想,"我是你和柳月的守护者,至少老大创造我的时候是这么说的。"

"创造? 老大?"月炎更糊涂了,"你是被人造出来的?"

姆斯比尼插嘴道:"它是个纯魔力构成的生物,但是和我有点不一样。"

月炎不满地瞪了那个小怪物一眼:"说明白一点,创造你的人是谁?"

小怪物竖起纤细的前爪晃了晃,神态像极了某个人:"这是产业秘密,我不能告诉你。"

月炎气不打一处来,一个火球扔过去,却被它灵巧地躲了过去。正想叫姆斯比尼一起揍它,就听到那个小怪物尖声叫道:"你们还要在这里呆多久? 等那些恶魔再来吗?"方明狐这才想起来,周围的结界已经被破坏,现在这座院子再也不能为他们提供任何保护,如果像龙飞说的那样,来的是个恶魔伯爵的话……想到这里,他断然道:"我们现在就离开这里。"

月炎反问道:"去哪里?"

这个问题将方明狐问住了,想了想才道:"我们可以回蜀山派,师父他们一定会有办法打败那些恶魔的!"

月炎点点头:"这倒是个好主意,你这就去吧。告诉东方剑的爷爷,把所有好东西都拿出来吧,现在可不是收藏实力的时候。"

方明狐道:"你呢?"

"我要去封岩镇,那里的妖怪应该不会喜欢这些恶魔在自己家附近撒野吧? 而且我也要在那里打电话通知协会派人来帮忙。"

方明狐惊讶道:"你是说,让那些妖怪来对付恶魔?"

"应该是封岩镇的妖怪和蜀山派的道士联手。"月炎摆摆手,"就像传说里的那样。"

"什么传说?"

"封岩镇的一个传说,来之前我在协会的资料库里偶然看到的,说的是人类和妖怪同心协力，封印了一个邪恶又强大的妖魔。"

　　方明狐感到不可思议，人类和妖怪会"同心协力"？不过现在的情况也只有这样了，皱眉道："我先送你去封岩镇……"

　　"不用了！"月炎断然拒绝了他的好意，"虽然不知道那些恶魔在搞什么，不过我可不想让小宁在它们手里受罪！咱们还是分头行动，这样比较快。"顿了顿又道，"别把我当作柳月，我可是月炎，A级妖魔猎人！"

　　方明狐道："但是我可以用御剑飞行带你，这样比较快。"

　　"御剑飞行？"月炎有点心动。

　　小怪物忽然插话道："飞？那还不简单！"话音未落，它的身体又变成一个蓝色光球，在空中划出一个弧线，落在月炎背上。月炎感到一阵柔和的暖意飞快地扩展开，将她的上半身包裹起来。蓝光散去，月炎听到旁边的姆斯比尼发出一声惊呼，方明狐目瞪口呆地看着她。低头看去，她发现自己不知什么时候穿上一件碧蓝色的铠甲。这件铠甲非常适合月炎，就好像为她订做的一样，通体没有任何接缝，肩头装饰着造型惟妙惟肖的龙头，显得非常有气势。

　　左肩上龙头龇龇牙，不满地低声道："还是幼儿体形……"

　　月炎没听清楚，回手敲了那个龙头一下，"你说什么？"现在这家伙不能飞来飞去，敲打起来方便多了。

　　龙头怪叫一声，急忙道："你不是想飞吗？只要想着张开翅膀……"

　　月炎怀疑道："翅膀？我怎么会有这种……"话音未落，就觉得背后卷起一阵风，愕然回头，看到自己背后展开一对宽阔的蓝色翅膀。惊异之下，她试着去控制那双如同碧水蓝天般美丽的翅膀，发现它们竟然完全服从自己的意志，而且如同手指一样灵巧。她惊喜地尖叫起来："我的翅膀！"随着她的意志，翅膀猛地扇动两下，将她稳稳地托起到空中，除了翅膀，似乎还有别的力量围绕在她身体周围，让她可以轻松地保持平衡。

　　月炎兴奋地大声道："这种感觉——太棒了！"房间里的空间太窄，不能尽情飞翔，月炎收拢翅膀从房门穿出去，再一振翅飞上了天空。姆斯比尼叹了口气，嘟囔道："真是得意忘形。"说着跟了出去。

　　方明狐追出去，刚想提醒月炎注意安全，就看到远远的天空中有几个黑点向这边飞来，急忙提高声音对空中的月炎道："是恶魔，它们来了！"

　　月炎回头，也看到了那几个恶魔，低头对方明狐道："你走吧，我去把它们引开！"说完，她振翅向那几个恶魔迎上去。

　　方明狐哭笑不得,不过他相信那几个恶魔不会威胁到月炎,加上确实需要尽快将这里发生的事情向掌门报告,犹豫一下之后,他还是唤出飞剑,向蜀山派天剑峰的方向飞去。

　　那几个恶魔很快也发现了月炎,改变方向迎着她飞过来。

　　姆斯比尼跟在月炎身边,撇撇嘴道:"引开它们? 我看你是想和它们打一架吧!"

　　月炎嘿嘿一笑,兴奋道:"没错,我早就想体验一下在空中打架的感觉了!"

　　姆斯比尼无可奈何地叹了口气,道:"不过我先提醒你,你用火焰对付那些恶魔效果不会太好,它们在地狱里整天被火烤着,多少都有一些抗火能力,除非火焰温度够高,否则根本伤不了它们。"

　　月炎一愣,忽然伸手敲了一下肩膀上的龙头,"喂,你叫什么名字?"

　　"名字? 老大没有给我取名字。"龙头为难地咕哝了一声,"你愿意叫什么就叫什么吧,我无所谓。"

　　月炎想了想,恶作剧地笑道:"那就叫你蓝月好了。"

　　龙头没有反对:"行。"于是这就成了它的名字。

　　解决了这个问题,月炎继续道:"那么蓝月,你还有什么能力?"

　　"能力?"蓝月想了想,"我只是老大创造来保护你的魔法,并没有很多能力,在这个状态下,我只能释放一下防御结界,帮你抵消大部分魔法攻击和一小部分物理攻击,为你治疗伤口,嗯,还可以使用有限的一点元素系魔法。如果是刚才那样独立的形态,我还能喷喷火,或者和敌人进行肉搏。"

　　月炎正想说话,姆斯比尼低声喝道:"别说了,它们过来了!"

　　那几个恶魔飞到月炎面前,扇着翅膀悬停在空中,好奇地打量着这个和它们一样长着翅膀的女孩。学着它们的样子,月炎也让自己的身体停在空中,一言不发冷冷地看着对方,暗中却在准备随时迎接那些恶魔的攻击。

　　出乎意料的是,恶魔们似乎并不打算发动攻击。其中那个最魁梧、看起来地位最高的恶魔向月炎飞过来,恭敬地低头道:"请问这位大人,您有什么吩咐?"它说的是地狱通用语,不过月炎发现自己很清楚这门对人类来说十分生僻的语言,不但可以听懂,甚至可以用它来表达自己的想法——大概这也是蓝月的能力之一。如果柳月用它参加英语考试一定会很方便,月炎不禁想。

于是月炎也用地狱通用语问道："你为什么要叫我'大人'?"说完这句话,她立刻严阵以待,等着那些恶魔翻脸发难。

那个恶魔的确翻脸了,不过翻出来的却是一脸惊恐地表情,结结巴巴地说道:"近卫军的大人,当然是大人。"不知道是不是因为害怕,它说话都有些吞吞吐吐的。

月炎莫名其妙,又问道："你怎么知道我是近卫军的?"

恶魔恭恭敬敬地回答道："您身上有亲王的味道,让我们知道您是尊贵的近卫军成员。"

这个恶魔如此谦卑的态度让月炎也不好意思动手打架,她见好就收,尽量摆出"大人"的仪态,问道："你们这是干什么去?"

"伦瓦尔德侯爵大人让我们来这里催促下面的士兵们尽快回去。它们已经耽误太久了,侯爵大人很生气,估计后果会很严重。"说到这里,它露出一个讨好笑容。对于恶魔来说,别人的苦难——即使是同类的——都是它们的快乐之源。

月炎厌恶地撇撇嘴,挥手道："你们去吧!"那几个恶魔服从地向下面的苏府别院飞过去。

等那些恶魔飞远之后,蓝月奇怪道："你身上有什么奇怪的味道吗?我只闻到处女的体香。""嘭"的一声,它的"脑袋"上又挨了一下。

"那个恶魔说是亲王的味道……"姆斯比尼懂得恶魔通用语,这时她若有所思,忽然恍然大悟道,"对了,沙尔达! 那家伙应该就是恶魔的亲王,而你身上有他的血统,所以才会有'亲王的气味'!"

月炎觉得有点道理,不过还是半信半疑,问道："那柳月应该也是一样啊,为什么那些恶魔会袭击她?"

姆斯比尼想了想,道："大概这种味道在使用魔力的时候才会散发出来,柳月不会用魔法,所以没有那种味道。"

月炎暂时接受了这个解释,道："这件事以后再慢慢研究,现在最重要的是赶回封岩镇……坏了!"她惊慌地看了一圈,"你们知不知道封岩镇在哪个方向?"

姆斯比尼一愣："难道你不知道?"蓝月事不关己地说道:"反正我是不知道。"

"糟糕,太糟糕了!"月炎有些不知所措,"这可怎么办?"忽然看到那几个恶魔从苏府别院里飞起来,她好像发现了救星一样大叫起来:"对了,那些家伙可能知道!"说完不管三七二十一就向它们飞过去。

发现"大人"过来，那些恶魔再次恭敬地停在空中迎接月炎。

为了显得不太突兀，月炎首先问道："这里的情况怎么样？"

"不太好，所有的士兵都死了，这里也没有其他人，所以不知道是什么人干的。"宣布同伴的死讯时，这个恶魔的语气中没有半点哀伤，反而带着幸灾乐祸的表情，似乎这是一件很值得庆祝的事情。

努力不让自己的厌恶表现出来，月炎继续问道："现在你们要回去了？"

"不。"那个恶魔摇摇头，"我们还有别的任务要去执行。"

"什么任务？"

"伦瓦尔德侯爵大人命令我们去封岩镇，监视卡格梅罗的行动。"

月炎心中对这个叫做伦瓦尔德的恶魔致以最热情的祝福，沉声道："我也要去封岩镇，你们在前面带路吧。"

那个恶魔不敢问为什么，顺从地飞在前面为月炎带路。

月炎低声问姆斯比尼："你觉得这些恶魔去封岩镇干什么？"

姆斯比尼摇头道："不知道，不过肯定不会是什么好事情。"

月炎赞同道："是啊，那个叫卡格梅罗的家伙肯定没安好心。"

"卡格梅罗？"姆斯比尼思索道，"这个名字有点耳熟，是不是在哪里听过？"

月炎点头道："你这么说我也有这种感觉……对了！"她拍了一下手，"那个想和魔鬼做交易的吸血鬼就叫这个名字。不过不可能是他啊，柳月说她亲眼看着那个吸血鬼被一个发了狂的吸血鬼吸干血，变成了一具干尸——他后来怎样了？我记不太清楚柳月是怎么说的……"忽然发出一声欢呼："看啊，那里就是封岩镇吧！"从空中看去，远远地可以看到一个城镇的轮廓。

第九章
明　暗

　　"狐狸,狐狸!"悠远的声音仿佛从世界的尽头传来,熟悉而又亲切,但是宁汝馨不知道为什么感觉牙齿痒痒的,有一种想要咬人的冲动。接着,她发现自己似乎是在一片沉郁的混沌中,完全无法动弹,只能用所有的感觉去体验自己的存在。

　　声音又传来:"狐狸,你能听到吗?"宁汝馨想说话,却无法发出任何声音。

　　"如果我对这个魔法装置的理解没有错,你应该能听到我的话。听我说,狐狸,我现在正在直接和你的灵魂交流,你不用做什么,只要听我说就好。"这个声音宁汝馨很熟悉,却又有些陌生,大概是因为那种玩世不恭换成了拳拳关心,让她觉得有些不适应。不过她还是觉得很安心,因为听到了这个声音。

　　声音继续道:"现在的情况不好——或者说,很糟。你和小剑的灵魂都被锁在这个奇怪的装置上,现在就连我也没有办法。不过你不用担心,我一定会找到机会把你们救出来,请你相信我!如果我想得没错,这个装置应该是用来打开地下的封印,就像是一个巨大的钻头,而你和小剑的灵魂构成了它的两个核心。如果这个装置被破坏的话,你们也会随之魂飞魄散,而一旦魔法完成,撒旦灵魂就会重新合而为一,那时你们灵魂也会被它所吞噬。所以,惟一的机会只有在撒旦灵魂的碎片被解放之后,和他的本体结合之前的那一瞬间。当那个瞬间来临的时候你会感到非常痛苦,甚至会比死亡更痛苦,但是你必须坚持,同时在心里呼唤我真正的名字,我的名字是……"声音郑重地说出了一个名字,陌生而又熟悉,"无论在什么时候,我都会保护你,不会让你受到一点伤害……嗯,如果你活下来,说不定我会考虑娶你哦!"轻轻笑了一声,声音越来越轻,"活下去,狐狸,相信我。"混沌又恢复了寂静。

宁汝馨在心中无声道:"我相信你。虽然你总是把我当作妖怪,总是欺负我、变着花样让我生气,总是说你有一个美丽的妻子和一个更美丽的未婚妻……可是,我还是愿意相信你,信赖你,直到永远……"不知什么时候,混沌中飘起一片晶莹的水滴——真耶? 幻耶?

从空中看下去,月炎可以清楚地看到封岩镇的街道和房屋,大街上一个人也没有,安静得有些不正常。正在奇怪的时候,月炎忽然听到飞在前面的那几个恶魔发出一阵短促的惊叫,还没等她弄明白是怎么回事,就看到一面白晃晃的大网迎面扑过来。她本能的将手一挥,在面前化出一片火幕,大网碰到火幕立刻开始着起火来,却没有立刻烧为灰烬,而是带着漫天火焰向月炎兜头罩过来。

月炎的惊呼声中,她身后的双翼忽然曲向前方挡在她身前,接着猛地张开,带起无数大大小小的风刃,瞬间就将那扇火网打碎成了漫天飞舞的火星。穿过这片火星,月炎看到那几个恶魔被同样的网子缠住,惨叫怒骂着摔下去。

又是几张大网罩过来,姆斯比尼在周围建起一道炽热的火焰屏障,她的火焰温度比月炎高得多,那些网子转瞬间就烧得一干二净,什么都剩不下。月炎当然不会这样被动挨打,她发现这些网子是从几间房子的窗户里抛出来的,忽然一拢翅膀,穿过姆斯比尼的火焰屏障向其中一扇窗户俯冲过去。

地面上传来一声暴喝:"这个点子扎手,大家小心!"接着月炎觉得眼前一花,一个人影忽然出现在她面前,还没等作出反应,就觉得一股劲风扑面而来,让她几乎喘不过气来,本能地合拢翅膀挡在身前。

"嘭"的一声闷响,柳月感到一阵大力传来,身体不受控制地向后弹开,同时耳边传来姆斯比尼愤怒的呼喝声,显然是和那个攻击者交上了手。

在空中翻了几个跟头之后,月炎发现自己并没有受伤。展开翅膀,她看到姆斯比尼的身体变成一人多高,正和一个人你来我往杀得如火如荼。她的对手是个足有两米多高的壮汉,手持一把金瓜大锤,舞动起来风卷雷动,配上他雷霆般的大吼声,声势十分惊人。他似乎不能飞行,只能跳起来抡锤攻击空中的姆斯比尼,看起来有些可笑,不过姆斯比尼也不敢过分紧逼,她很清楚被那大锤砸上一下可不是好玩的,即使她是火元素构成的精灵也一样。

月炎正在猜测那个壮汉的身份,肩上的蓝月忽然开口道:"这家伙不是恶魔,是本地土生土长的妖怪。"

"什么?"月炎一愣,立刻意识到是误会了,急忙降落在地上,大声道:"都别打了,我有话说!"姆斯比尼立刻闪身后退,同时身体恢复成一尺多高,飘在月炎身边警惕地看着那个壮汉。那几个"带路"的恶魔被罩在一张大网里,正在地上挣扎扭动着。

壮汉将大锤斜扛在肩上,大咧咧地说道:"没什么好说的,封岩镇不欢迎你们这些怪物,所以我劝你们还是快滚吧,否则……"他单手举起大锤挥了几下以增强声势,"我就把你们送回老家去!"在他说话的时候,周围的房子里陆续有人走出来,手中多半都拿着长枪短剑之类的武器,脸上都是警惕的表情。还有几只体形巨大的蜘蛛从窗口探出头来,黝黑的复眼中闪烁着智慧的光芒。

月炎立刻就明白了那个壮汉的意思,"这么说,你们已经知道那些恶魔的事情了?这样最好了,快带我去见苏岚,我有事情要对他说!"

壮汉一愣,摇头道:"别想花言巧语,我是绝对不会让你这种怪物去见苏先生的!"说得义正词严,颇有点宁死不屈的气势,不过中间夹杂的"呼呼"粗气声就显得有些滑稽了。

月炎气不打一处来,忍不住大声道:"我哪里看起来像怪物了?你这个傻大个才是怪物!"话音未落,她忽然想到了什么,恍然大悟道:"对了,我明白了,原来是这样!他是因为看到这对翅膀,就把我当成恶魔了。喂,你从我身上下来!"蓝月不满地嘟囔着:"伤自尊了,竟然把我和那些恶魔的破烂翅膀相提并论……"月炎身上的铠甲和翅膀同时亮起蓝光,从她身上剥离出来,变成一个蓝色光球在她身边上下漂浮。

壮汉被她的举动弄得有些莫名其妙,"你在耍什么花样?"

"这样就证明我不是恶魔了吧?"月炎很着急,"快带我去见苏岚!"

壮汉歪着头看了她一会,还是摇头道:"不行,谁知道你是不是怪物变的。"

月炎几乎为之气结,恨不得一个火球砸在这个顽固的脑袋上。就在僵持不下的时候,忽然传来一声震耳欲聋的怒吼,天地似乎都随着这个声音震动起来,而且连绵不断,似乎发出吼声的人根本不需要换气似的。

吼声越来越近,随着"轰隆"一声巨响,旁边高大的院墙破开个大洞,一个人影从里面飞快地窜出来,以迅捷无比的速度左冲右突,他移动的速度实在太快,其他人只能看到一个隐约的影子,同时不停地发出阵阵怒吼。

苏岚的声音传来:"大家让开!"话音未落,有个人躲闪不及,被那道人影撞上,连惨叫都没来得及发出,就化作满天血雨,接着转瞬间就被那个人影吸了进去。其他人见到这种惨状,急忙转身没命地逃开。

月炎略略呆了一呆,就看到那道人影转了个弯冲过来,转瞬间就来到她的面前。只听"嘭"的一声,人影被硬生生挡住,拦住他的正是月炎身边的蓝色光团。接着那团蓝光迅速变大,顷刻间就变成了一人多高的蓝色龙形怪兽。

惊魂稍定之后,月炎这才看清楚冲过来的是一个身材高瘦的恶魔,浑身上下都是一片赤红,背后宽阔的膜质翅膀上好像要滴下血来。

被困在网里的恶魔发出一声欢呼,为首的大声叫道:"卡格梅罗,快把我们放出去!"

月炎惊讶道:"卡格梅罗?他不是吸血鬼吗,怎么变成恶魔了?"

蓝月强劲的尾巴忽然一摆,猛地向卡格梅罗横扫过去,威势赫赫足以开山裂石。意识到自己无法硬接这一击,卡格梅罗立刻抽身向后跳开,翅膀扇了一下,落在那几个被网住的恶魔身边,两眼无神地看着前方,摆出防御的架势。

月炎只觉得眼前一花,就看到仙风道骨的一个老人出现在卡格梅罗对面,立刻意识到这就是封岩镇的镇长——苏岚。

先是奇怪地看了蓝月一眼,苏岚对月炎点点头,然后转身面对着卡格梅罗,朗声道:"我知道你能听懂我的话,不要做无谓的抵抗了,以你的能力根本无法解开我的幻术,还是投降吧。"

困在网里的恶魔听不懂汉语,不过也大概能猜到苏岚在说什么,急忙用地狱通用语大声叫道:"别听他的,卡格梅罗!你快把我们放出去!"

卡格梅罗的嘴角露出一丝冷酷的微笑,忽然伸出手,准确地抓住一个恶魔的脖子将它和网子一起提起来。那个恶魔只来得及发出一声惊呼:"你要干什么?"就看到它的身体表面向外喷出一团血雾,然后被卡格梅罗吸收进身体里,转眼间就变成一具干枯的尸体。

其他恶魔被这个情景吓得目瞪口呆,过了一会才同时发出一阵惊呼,挣扎着想离开卡格梅罗,却只能在网子里扭动而已。卡格梅罗一个接一个地把它们挨个提起来,不到十秒钟就把它们都变成了干尸。

月炎感到后背一阵阵发凉，毛骨悚然道："这家伙在干什么？"她本来并不想得到回答，却听到蓝月在一旁道："大概是黑魔法的一种吧，通过吸血来吞噬对方的力量，可以在短时间内提升自己的魔力。"

　　月炎奇怪道："你怎么知道这些的？"

　　"我拥有一小部分老大的知识，其中正好有关于黑魔法的部分。对了，据说有恶魔正在尝试用吸血鬼进行魔化，以创造出强大的战士，这也许就是那个研究的产物。"

　　月炎更惊讶了："那个老大……他怎么会知道这些事情？"要知道关于魔化体的报告是妖魔猎人协会的最高机密之一，连亲眼见过魔化体的月炎（当时是柳月）也只是知道个大概，其他人更是无从得知。

　　"这个嘛，还是产业秘密！"蓝月还是用一样的话来搪塞。

　　那边卡格梅罗发出"嘎呵"的古怪声音，随手扔掉最后一具恶魔的干尸，转身面向苏岚，眼睛里射出灼人的红色光芒，浑身的皮肤红得发黑，表面开始浮现出密密麻麻的符咒，呈现出奇异的亮紫色。紫黑色的鲜血从这些符文里渗出来，很快就将周围的一大片土地染得一片漆黑，看起来颇为狰狞恐怖。接着他缓缓地弯下腰，对周围的人发出震耳欲聋的咆哮，忽然猛地一挥手。随着他的动作，地底下突然窜出几团黑影，尖啸着向苏岚扑过去。

　　苏岚不慌不忙地伸手在面前画出一个五星，低声喝道："火寐结界！"他面前的空气略微扭曲，那几团黑影如同撞在一个无形的屏障上，发出啪啪的声音，立刻变成一团团熊熊燃烧的火球，嘶叫着摔落在地，转眼间化作一堆灰烬。

　　尖啸声接连不断，一个接一个黑影从地下钻出来，目标却不是苏岚，而是向卡格梅罗飞去。卡格梅罗高举起右手，那些黑影仿佛受到某种力量的吸引，纷纷落在他的手臂上，转眼间已经积了厚厚的一层。月炎这才看清，那些黑影竟然是一些奇形怪状的虫子，一只只都好像突然膨胀起来的蚯蚓，让人感到毛骨悚然。那些虫子在卡格梅罗的手臂上扭曲缠绕，迅速变成一把通体漆黑的巨剑，强大的魔力从剑身上宣泄而出，巨大的压迫感让周围的人不由自主地向后退开。

　　苏岚脸色一变，大吼一声："大家小心！"接着猛地将手一挥，"木曜结界！"只见卡格梅罗周围的地面上迅速长出无数翠绿的藤蔓植物，藤条交错，转眼间已经编织成了一张绿色的巨网，将卡格梅罗罩在下面。这些植物还在继续生长，层层叠叠地封在上面，每一片叶子、每一条藤蔓上都

奇幻四公子

闪动宝石般翠绿的流光。卡格梅罗被淹没在这片翠绿的海洋里,看不到半点踪迹。

月炎刚要松口气,就听到蓝月失望的声音说道:"没用的,这样对付不了这个恶魔。"月炎正要问他为什么,就看到那一片翠绿中出现了一小点黑色,就像是湖面上泛着污浊的油星。这片黑色迅速扩大,所到之处藤蔓迅速枯萎,变成干枯的死黑色,好像被吸干了所有生命的力量一样。在这片死黑的海洋中央,缓缓站起一个身影,正是卡格梅罗,还有他手上那把怪异的巨剑。虽然还有几条绿色的藤蔓缠绕在他身上,不过对他已经没有任何影响了。

"嗷——"卡格梅罗发出一声惊天动地的吼叫,手中巨剑猛地劈下,带起一阵凌厉的剑气向苏岚飞击过去。与此同时,那些枯萎的藤蔓好像吸血的怨灵一样纷纷跳起来,怪异地扭动着向苏岚扑过去。

苏岚一抖身体,化作一只人形的妖狐,浑身毛皮如同红色火焰,流转着眩目的光彩。十只利爪锋利如比,猛地一抢格开卡格梅罗的剑气,接着向那些枯萎的藤蔓斩去,藤蔓应爪而断,变成一截截寸许长的小段。

苏岚正想让卡格梅罗尝尝狐火的滋味,忽然觉得有些不对劲,低头看去,这才看到那些断裂的树藤竟然变成了一条条死黑色的小虫子,飞快地扭动着身躯钻进他的毛皮,张开满是尖牙的小嘴咬了下去。苏岚只觉得浑身上下同时一麻,接着就感到精血和妖力如同决堤洪水一般宣泄而出,同时整个身体都开始麻痹了。

惊怒之下,苏岚暴发出一声狂怒的吼叫,身上的火红长毛根根竖起,燃起熊熊烈焰,转眼之间就将那些虫子烧成了灰烬。接着伏下身积蓄着力量,明亮的红眼睛一眨不眨地瞪着卡格梅罗。

"爹!"随着这个声音,苏流芳从大门里跑出来,踉踉跄跄地冲到苏岚身边,惊慌失措地问道,"您还好吧!"

苏岚的心一下子乱了,怒声道:"你出来干什么,快给我回去!"

苏流芳倔强道:"不,就算死,我也要和爹死在一起!"

苏岚正要呵斥他,忽然警兆突起,还没等他作出反应就赶到腰间一凉,愕然回头,正看到苏流芳满脸狞笑地说道:"没错,我要和爹死在一起!"他手中握着一把匕首,锋刃刺进苏岚腰部直没至柄,露在外面的护手是一只张开翅膀的蝙蝠,看起来不像是中国的风格。

惊怒之下,苏岚一伸手把苏流芳推了个跟头,呵斥道:"你在干什么?!"

"和你一起死啊!"苏流芳狂笑着爬起来,发了疯一样张开双臂向苏岚扑去,好像要和对方同归于尽似的。

苏岚挥爪把他打了个跟头,怒道:"你发什么疯?!"腰上插着匕首的伤口上没有半点痛楚的感觉,反而有一种麻痒的感觉。这种麻痹的感觉迅速扩散,很快苏岚就连抬手指头的力气也没有了。浑身的毛皮失去了光泽,就像是秋天枯萎衰败的草木一般。

"操心魔!"月炎忽然明白了,大声叫道,"他被操心魔控制了!"

不过这时候已经晚了,苏流芳又一次冲到苏岚身边,这次苏岚已经没有力气反抗,只能眼睁睁地看着他张开双臂牢牢地抱住自己,张开血盆大口向自己咬来,绝望地闭上了眼睛。

见到自己的奸计得逞,卡格梅罗扭曲的嘴角上露出一个类似于冷笑的表情,转过身,血红的眼睛紧盯着月炎,似乎在警告她不要去帮苏岚。

月炎可不吃这一套,有姆斯比尼和蓝月做帮手,她也不怕这个怪物。正要出手,忽然闻到一种奇异的味道,接着一个红色的身影一闪而过,来到苏岚身前轻轻一拂将苏流芳摔了开去,扶住就要摔倒的苏岚,低声问道:"你怎么样?"

月炎这才看清,来的人是她曾经见过的沈无瑕,看起来她似乎比上次见到时高了一些,脸庞和身材都像十三四岁的少女,而不是十一二岁的小孩子了。

麻痹的感觉蔓延全身,苏岚已经说不出话来,只能艰难地摇了摇头。看到他这个样子,沈无瑕毫不犹豫地从头上的珠花里摘下一个红灿灿的珠子,捏开苏岚的尖嘴扔了进去。

苏岚浑身一阵痉挛,随即松弛下来,开口道:"多谢沈妹。"随手将那柄匕首拔出来扔在地上,伤口里涌出一股黑血,不过很快就转为鲜红。

沈无瑕的出现显然让卡格梅罗吃了一惊,放下月炎,转身警惕地看着沈无瑕和苏岚,手中巨剑高高举起,随时会挥下来的样子。被摔出去的苏流芳狼狈地想从地上爬起来,却被几根藤蔓牢牢地缠住,只能无奈地发出野兽般的吼叫。

"先打败这个恶魔,其他的事情以后再说。"苏岚和沈无瑕对视一眼,明白对方都是这个念头。正要发动法术,卡格梅罗忽然怪叫一声,猛地向后跳开,与此同时一道金光从天而降,照在他刚才站立的地方。

天空中传来一个声音:"这个邪魔反应得倒是挺快,居然能避开我的攻击。"接着一个人从天上缓缓落下来,落在苏岚和卡格梅罗之间,面向着卡格梅罗,带着微笑道:"不错,遇到这种对手,也不枉我来下界走一遭。"

月炎这才看清那人的样子。他是个英俊的少年,看起来大概十七八岁年纪,身穿一身中国古代武将的铠甲,手持一杆亮银枪,身上隐隐透出一种圣洁的光辉,神气活现地看着卡格梅罗。

"这家伙是谁?从哪里来的?"月炎正在疑惑,忽然看到苏岚和沈无瑕脸上都露出惊慌失措的神色,更感到奇怪了,趁着现在僵持不动的机会,走过去问道:"你们认识这个人?"

"不……我不认识他。"苏岚缓缓摇头,似乎对那个少年颇有惧意,"不过我知道,他来自天界!"

"天界?"月炎一愣,随即明白过来,"啊,这么说他岂不就是神仙了?"

听到她的声音,少年回过头,脸上带着友善的笑容,点头道:"没错,我就是神仙!"

第十章
生　命

"你是神仙?"月炎歪着头看了看那个少年，然后摇了摇头，"我觉得不像。"

少年也不生气，对月炎露出一个灿烂的笑容，道："我叫玉琳，你呢?"

月炎没好气道："你不是神仙吗？应该知道我的名字吧!"她不喜欢"神仙"盛气凌人的姿态，所以对他也没什么好感。

自称叫玉琳的神仙少年不好意思地笑道："这个……占卜灵测是我的弱项，十次倒有九次的结果是错的。所以，还是你告诉我吧!"

月炎对他的印象好了一点，不过还是不打算告诉他自己的名字，而是问道："那你的强项是什么?"

玉琳自豪一笑："降妖除魔!"话音未落，手中银枪忽然一转，闪电般向后刺出，枪尖正好抵在卡格梅罗挥来巨剑的剑尖上，摧腐拉朽一般将巨剑化作满天飞灰，散发出腐败的酸臭味。

卡格梅罗大吃一惊，急忙松手放开剑柄，同时翅膀猛扇跃起到空中，这才没有把自己送到枪尖上。

玉琳发出一声轻叱："着!"长枪脱手向卡格梅罗射去。卡格梅罗急忙扇动翅膀向更高处飞去，试图躲过这一击，谁知道那杆枪竟然好像长了眼睛一般，拐了个弯，不偏不斜刺进卡格梅罗的胸膛，从后面穿了出来，带起一蓬黑色的血雨。

卡格梅罗发出一声痛苦的惨叫，从空中跌落下来，在地上滚了几圈化作一只硕大的蝙蝠，挣扎着爬起来，振翅飞上半空。刚才那一下显然将他伤得不轻，飞行的动作都显得有些怪异。

"别想逃！"玉琳高声叫道，同时手捏成诀向卡格梅罗变成的蝙蝠一指，"律令，雷！"一道电光从指尖射出，不偏不斜地打在蝙蝠身上。蝙蝠尖叫一声，翻身从空中跌落到地下，一动不动，看起来就像是死了一样。

玉琳挥手将长枪招了回来，得意洋洋地说道："怎么样，我的法术不错吧？"

月炎撇撇嘴，哼了一声："我看也不怎么样！"

碰了个钉子，玉琳有些尴尬，讪笑了几声，喃喃道："我还有更厉害的法术，就是没机会施展……"嘟囔着向卡格梅罗变成的蝙蝠走过去，用枪尖把他挑了起来，放在眼前好奇地看着，"这就是西方的恶魔？看起来果然有些不同……"

一阵阴冷的笑声传来，接着是一个沙哑的声音："希望你不会以为西方的恶魔都是这么没用的东西。"红光闪过，一个身影出现在玉琳身前不远的地方。"他"看起来根本不像人，而像是一座畸形的肉山，横着的宽度比身高还要大。随着动作，那个怪物浑身的脂肪都纷乱地颤动着，泛起好像水波的纹路。

感到这个可笑怪物身上散发出来的惊人灵力，玉琳下意识地提高了警惕，紧盯着对方问道："你是什么人？"

那个怪物根本不理他，看着枪尖上卡格梅罗变成的蝙蝠，满是肥肉的脸抽动了几下，似乎是在做出一个冷笑的表情，沙哑着声音说道："这就是你的宠物？看起来实在不怎么样呢。"他说的是地狱通用语，其他人当然听不懂，莫名其妙地看着他。

月炎听到蓝月低声咕哝了一句："宠物？"意识到他能听懂这个怪物的话，问道："他说什么？"

蓝月把刚才那句翻译成汉语告诉月炎，后者听了之后更加糊涂了："他在和谁说话？"

答案很快就出现了。

一个人影从肉山后面走出来，四肢又细又长，看起来好像是一只只有四条腿的巨大蜘蛛，和那个肉山怪物形成了鲜明的对比。

"蜘蛛"用尖锐的声音说道："让你见笑了，古德里安公爵。不过这只是一个试验品，能做到这样已经不错了，而且从技术上来说还有改进的空间。"他说的也是地狱通用语，言语中对被挑在枪尖上重伤垂死的卡格梅罗没有半点怜惜之情。

还没等蓝月把他的话翻译完，那个"蜘蛛"上前一步，对玉琳道："请你把他还给我,谢谢。"说着还鞠了个躬。这次他说的是汉语,不过发音有些奇怪。

玉琳警惕地看着对方,反问道:"你是谁?"

"我是弗德里克……"说到这里,他提高了声音,满是诡异花纹的脸上带着自豪的表情,"公爵。"旁边的那座"肉山"发出一声冷哼,显然他能听懂这句话,而且对弗德里克的自我介绍很不屑一顾。

弗德里克好像没有听到那声冷哼,指着那座肉山介绍道:"这位是古德里安公爵。"

看起来玉琳并不想和他们客气,冷冷道:"这里似乎不是基督教系的势力范围,你们想要干什么?"

"因为某些理由,我们不得不来这里迎接我们的王。"弗德里克的话含糊其辞,不过还是透露出一点信息:他们之所以会出现在这里,和地狱的王——撒旦有关。

苏岚忽然插进来,大声问道:"难道主人他封印的就是你们的王?"

弗德里克没有说话,视线落在苏岚脸上,带着彻骨的森然寒意。

那个肉山古德里安公爵大吼道:"说这么多干什么! 把那个试验品抢回来不就行了?"说着向玉琳伸出手,只见他的手臂像橡皮一样伸长,转瞬间已经抓住卡格梅罗化身的蝙蝠,然后带着他迅速缩回去。玉琳猝不及防,不过他的反应也算极快,不管卡格梅罗,而是挺枪向古德里安刺过去。

枪尖刺在古德里安身上,就好像刺入了由湿面团制成的墙壁里,被一股奇异的吸力粘住,再难撼动分毫。古德里安嘴角一咧,露出一个类似于冷笑的表情,伸出另一只手向玉琳拦腰抓来。玉琳不愿意松手后撤,使劲挣了两下,就是耽误了这一瞬间,古德里安的手已经搭在他腰间……

蓝色光芒一闪,古德里安的手臂无声无息地被斩成了两截,同时玉琳将手一抖,枪身上泛起一层白光,终于从古德里安身上拔了出来,立刻翻身跳开。

切断古德里安手臂的是月炎,身上穿着蓝月化成的铠甲。月炎惊讶地发现自己用魔法创造的火焰刀不再像火焰一样跳动,而是变得有若实质,一泓秋水般的表面上流转着幽明的蓝色光芒,略一思索,她明白这大概是受到蓝月魔力的影响。

古德里安和弗德里克同时用惊异的目光看着月炎,前者的目光中甚至有一丝恐惧,不过随即就变成了愤怒,喉咙里发出"赫赫"的低吼声,紧盯着月炎,似乎马上就要向她扑过来。

弗德里克的话让他冷静下来:"时候不早了,我们得去迎接达亚德大人了。走吧,别忘了带着那个试验品。"说完转身走了。

古德里安犹豫了一下,终于不敢耽误正事,狠狠地瞪了月炎和玉琳一眼,转身追着弗德里克走了。他的行动方式很奇怪,像是一条大肉虫在蠕动,又好像是飘浮在空中,不过移动得倒是很迅速,转眼之间就不见了。

就在月炎要松口气的时候,忽然听到蓝月惊叫一声:"不好!"同时她也发现地上那截古德里安的断臂不知道什么时候已经变成了一个篮球大小的球体,正在从肉红色逐渐变成紫色,看起来十分诡异,球体发出强大的魔力,令人毛骨悚然。

玉琳和苏岚等人也发现了这个异象,惊问道:"这是什么东西?"

蓝月大声回答:"这是一个黑魔法炸弹,等变成黑色就会爆炸!"

其他人脸上色变,玉琳二话不说挺枪就向那个已经变成深紫色的肉球挑去,却被月炎手中的蓝色焰刀挡住:"不行,任何和它的接触都会立刻引起爆炸!"

玉琳收回枪,烦躁道:"那该怎么办?"

沈无瑕走过来,平静道:"我来吧。"不等其他人说什么,径自走到肉球旁边,伸出双手低声道:"碧涛绝壁!"一片碧绿的光芒从她手中发出,罩在那个肉球上。

苏岚脸上露出惊骇的神色,伸手想要阻止:"不要……"不过已经晚了。

碧绿光芒中的肉球变成了黑色,接着爆炸就发生了。所有人感到脚下的地面一阵剧烈的晃动,不过并没有感到爆炸的冲击。

沈无瑕手上的碧绿光芒消失殆尽,身子晃动两下就要摔倒,苏岚急忙冲过去扶住她,惶急道:"你、你……为什么要这样?"其他人不知道发生了什么事,也走了过来。

沈无瑕的脸色苍白如纸,显然是灵力消耗过度,已经到了油尽灯枯的地步。勉强一笑,断断续续道:"这个法术……果然不错……"刚才那个肉球所在的地面上留下了一个直径两尺左右的深坑,深不见底,可以想象爆炸的威力是何等惊人。

苏岚的脸因为痛苦而扭曲着,道:"但是它并不完整,反噬之力已经震碎你的魂魄了！刚才应该是我来施展这个法术才对……"

沈无瑕轻轻摇摇头："你还得活着……而我……张郎去了……我也不想再……"她的声音越来越轻，终于完全沉寂下来。接着身上亮起一层淡淡的白光，开始逐渐缩小，最后在苏岚手里变成了一株一尺来长的雪白人参。

苏岚失魂落魄地看着手中的人参，苍老的脸上流下两行清泪。

在肃穆的气氛中沉默了好一会，玉琳叹了口气，道："想不到还有这么重情重义的妖怪。"双手合十，"祝你早日往生极乐。"

月炎隐约也猜到了个大概：沈无瑕的人类配偶"张郎"——就是她和龙飞碰见过的那个老头——因为寿命到了，已经寿终正寝了。沈无瑕心如死灰，一心寻死，刚才使出还有缺陷的法术封印了"肉弹"的威力，却因为魔力的反噬而身受重伤，终至散灵而亡。联想到刚到封岩镇见到沈无瑕时她说的话，月炎忽然意识到沈无瑕早就预料到了这一切，或者说，现在这个结局正是这个活了悠长岁月的妖怪所期望的。

玉琳放下手，转身面对着月炎，饶有兴趣地点头道："你的铠甲不错。"

月炎随口道："免费的。"走到惘然若失的苏岚面前，道："现在可不是伤心的时候，那些恶魔不知道什么时候就会再打过来。这里有电话没有？"

苏岚茫然点点头："有……你想干什么？"

月炎一摊手："当然是打电话求援啊！这次要对付的可是成群结队的恶魔，就算是把协会里所有的人手都派来，还不一定够用呢！"

苏岚缓缓摇头，森然道："不，这件事要由封岩镇自己解决，不需要外人插手。"

这时不少人从四面八方聚过来，苏岚的话在他们中立刻激起一片激动的响应："没错！""我们要自己解决那些该死的恶魔！""让他们知道，中国的妖怪也不是好欺负的！""把那些畸形的废物干掉！"

月炎愣了愣，道："但是那些恶魔数量众多，而且其中有一些非常厉害……"

苏岚昂起头，傲然道："那又如何？我们也未必就比他们差！"

月炎想了想，似乎也有点道理。如果不是被丧失心智的苏流芳暗算，苏岚肯定能打败卡格梅罗。

苏岚一言不发地将手中的人参举过头顶，手心中燃起一团橙红色的火焰,转眼间将其燃烧殆尽,扫视一圈周围的人群,一字一顿地说道:"你们说呢?"

"这还用问!"朱大挥舞着铁锤,大声咆哮道,"跟他们干了! 都被人欺负到家门上来了,咱们难道还得忍下去不成?!"狂吼声中,他将身躯一晃,变成一个猪头人身的巨大怪物。

"肥猪这次说得没错。"白叶涛阴恻恻地说道,"要我忍气吞声,除非是我死了!"说着也显出了原形:一条水桶粗细、七八丈长的白蛇,三角形的脑袋昂然而立,紫红色的蛇信吞吐不定。

其他妖怪也纷纷赞同,接着现出原形。一时间大街上满是山精水怪、魑魅魍魉,怪异的嘶叫声响彻了整个封岩镇上空。住在这里的人类虽然很清楚平时身边生活着许多妖怪,却也是第一次看到这么多妖怪同时现出原形,惊讶过后,不少人类都在心中暗自埋怨爹娘为什么没把自己也生成个妖怪。

苏岚举起手,妖怪们立刻安静下来,无数双眼睛紧盯着他。

深吸一口气,苏岚缓缓道:"既然如此,我们现在就去找那些家伙,让他们血债血偿!"

"血债血偿! 血债血偿!"

看着群情激动的妖怪们,玉琳若有所思,自言自语道:"看来我没白下来一趟……"目光落在皱眉思索的月炎身上,忽然笑了,"有意思……"

第十一章

复　活

时近午夜。

裂魂谷外，三只巨型马身恶魔正在往来巡逻，样子就像是把畸形的人类上半身硬安在马头的位置，庞大的身躯如同一座座活动的要塞，手中血迹斑斑的阔刃长矛散发着让人窒息的恐惧力量。

草丛中传来簌簌的声音，其中一只恶魔停下来，好奇地向声音传来的方向走过去，想要看个究竟，它的伙伴似乎对此一无所觉，继续迈着沉重的步伐向前走去。

离队的恶魔用长矛拨拉着茂密的草丛，想看看里面有什么东西，忽然眼前白光一闪，接着就觉得身上一紧，然后才看清楚，自己的身体被一条水桶粗细的白色大蛇紧紧缠住，并且还在不断收紧，三角形的蛇头伸到它面前，张嘴喷出一团墨绿色的烟雾。恶魔眼前一黑，什么都看不见了，直到这时它才明白发生了什么，发出愤怒的咆哮，想用长矛斩断这条蛇，却发现自己的手脚都被牢牢捆住，根本动弹不得。这时它肺里的最后一丝空气被挤了出来，再也发不出半点声音。

不过它的吼叫声还是惊动了走在前面的恶魔。愕然回头，还没等它们看清同伴的状况，旁边的草丛中窜出一道黑影，撞在其中一个恶魔身上，巨大的冲击力让它侧身摔倒在地。黑影就地一滚，变成一个猪头人身的妖怪，壮硕的双臂一把抓起地上恶魔庞大的身躯举过头顶，抡了两圈，突然松手向一块巨石扔过去，接着身形一晃化作一头比大象还要高大的黑色野猪，放开四蹄追着那个恶魔撞了过去。恶魔的身体刚碰到巨石，野猪已经冲了过来，重重地撞在恶魔身上。随着一声巨响，那块房屋大小的巨石轰然碎裂。漫天石屑中，野猪顶着恶魔残破不堪的身躯走出来，一摆头将它扔下。恶魔软软地瘫在地下，眼见是不活了。

剩下的那个恶魔这才明白发生了什么，怒吼着挥动武器，想向野猪冲过去，却发现自己根本无法迈步，低头看去，赫然发现脚下的地面不知什么时候已经变成流沙似的，正在一点点将它陷下去。与此同时，周围的地面上长出无数藤蔓样的植物，飞快地缠绕在恶魔身上，上面尖利的刺芽穿透了坚实的皮肤，然后迅速在它体内生根，贪婪地吸取着血肉的营养，将原本翠绿的汁液变成恶魔血液的黑色。

天空中传来一声尖啸，一个有翼恶魔从上面俯冲下来，闪着寒光的利爪向白蛇血红的眼睛抓去。

闪电般的青色光辉在夜空中一闪，从那个恶魔身体中穿过。恶魔的尖啸变成了惨叫，像断了线的风筝一样歪歪斜斜地向地面掉下来。青光回转，追上那个恶魔，几下将它绞成了碎片。

黑暗中，苏岚将手中的狐火熄灭，脸上带着惊讶的表情说道："御剑术！难道是……"

"好久不见了，老妖怪。"随着这个声音，一个人影从黑暗中走出来。这是个须发皆白的老人，面色红润，精神矍铄，身穿一件八卦道袍，头发绾成一个发髻，一看就是一位气宇不凡的世外高人。伸手一招，空中那道青光飞下来落在他手中，光芒散去，现出一把造型古拙的长剑，剑身上带着吞吐不定的青色光芒，其中隐约可以看到一条盘旋游走的青龙。

苏岚面色一沉，问道："东方杰，你来这里干什么？"

"东方杰？"月炎觉得这个名字有点耳熟，略一思索，随即恍然：这位老人就是蜀山派掌门人东方杰，东方剑的爷爷。

东方杰将长剑插回鞘中，肃容道："身为术者，除魔卫道乃是职责所在。有异域宵小在这里作乱，涂炭生灵，为祸百姓，吾辈必将铲除之！"

玉琳拍手喝彩道："说得好，记得当年那个老头也是这么说的！"对苏岚道："然后你应该说，'这班杂鱼活得不耐烦了，竟敢在这里撒野，我要让它们生不如死！'"

苏岚莫名其妙，不知道他在说什么，不过这句话的语气让他觉得很"亲切"，问道："我为什么要这么说？"

"因为那只白狐狸是这么说的啊——如果我没记错的话，他是叫胡玄箴。"

苏岚一下子紧张起来，颤声道："你……你认识大王？"大概八百年前,青丘国发生内乱,王叔胡万钧篡位称王。当时的青丘之王胡玄簏携妻子逃离青丘国,来到现在的封岩镇修屋挖井,准备在这里定居避乱。苏岚是当时追随大王的随从之一,不过当时他只是刚刚修成人形,还没什么法力。某日他去人类城市中办事,回来之后所有同伴都不见了,看情形似乎经过了激烈的打斗,遍地都是护卫们的尸体,顺着痕迹一路追到裂魂谷,苏岚终于找到了自己的大王——是那片坟墓群中的惟一有名字的一个。几乎发疯的苏岚扒开坟墓,希望发现里面是空的,然而事与愿违,九尾白狐的尸体静静地趴在那里,头朝着青丘国的方向,尸体上满是伤痕。当时到底发生了什么? 这件事一直是苏岚心中最大的谜团。

玉琳点点头:"一面之交,可惜他死得太早了。"说着叹了口气,脸上露出和他年轻面容不相称的沧桑神情,"记得当年,我与胡玄簏和东方瑞生在这里一起对抗异域邪魔,那是何等惨烈的战斗!"

东方杰将信将疑地看着玉琳,想知道他是不是在信口开河。东方瑞生是蜀山派前辈高人,无论法力还是德行在蜀山派建派千多年来都是首届一指的,东方剑手中的"噬魔"剑就曾经是他的佩剑。蜀山派中古老相传,东方瑞生晚年时在和一个厉害无比的邪魔战斗时将"噬魔"折断,连着剑柄的半截断剑封住了邪魔,剩下的半截剑身也沾染了邪魔的妖气,变得难以驾驭。东方瑞生将这个封印的"阵眼"封禁在噬魔剑的半截剑身内,并在弟子中代代相传。这半截断剑就像是有灵性一般,会自己挑选主人,东方剑就是它的第十三位主人。不过被选中却不是什么好事情——从断剑上传来的邪意会侵蚀持有者的精神,最初几位噬魔剑的主人就是因此精神崩溃,发狂致死的,直到后来有一任掌门发明了用恶鬼降来压制邪意,情况这才好转,再没有因此发疯的人出现。

略一思索,东方杰谨慎地问道:"敢问这位是……"

玉琳爽朗一笑,道:"我叫玉琳,是个微不足道的小神仙,最喜欢多管闲事。"

东方杰感到对方身上神仙特有的气息,知道他所言非虚,又问道:"你认识东方瑞生前辈?"苏岚也问道:"当年到底发生了什么?!"

玉琳抬起头,目光有些迷离,似乎陷入了回忆之中,良久,这才道:"当年我在下界历练,刚好来到这附近,忽然感到一阵阴森森的邪气,急忙赶过来一看,发现一只九尾白狐正在和一个从没见过的妖怪搏斗,其他还有许多狐狸的尸体。九尾白狐也算是圣兽,此时却被那个怪物打得遍体鳞伤,全靠一股复仇的怒火才撑着不倒。我见九尾狐就要支持不住,就忍不住要多管闲事,出手帮他对付那个怪物。谁想到那个不知名的妖怪竟然厉害非常,我们两个也不能伤他分毫。这时东方瑞生大概也是感到了这里的妖气,从蜀山派赶来,我们三个和那只妖怪斗了两天一夜,最后将它引到那边山谷里,胡玄箴合我们三人之力,引来天地灵气发动了'天道封魔'结界,才将那个怪物封住。"说到这里,他轻轻摇了摇头,脸上露出心有余悸的神情,显然这一战的惊心动魄让他到现在还记忆犹新。

轻轻舒了口气,玉琳继续道:"因为'天道封魔'的威力太过霸道,我们三个都被反噬的力量所伤。我损耗了三百年的修为,东方瑞生折了三十年的阳寿,胡玄箴因为之前受伤太重,我们都是回天乏力,眼睁睁地看着他散尽妖力魂飞魄散,惟一能做的就是按照他的遗愿,将他和其他狐狸的尸体埋葬,头朝向青丘国的方向。"

月炎低着头,自言自语道:"狐死首丘……"

玉琳颇有深意地看了她一眼,道:"后来我才知道,那个怪物竟然是西方基督教系中的恶魔,而且似乎和他们的恶魔之王——撒旦——有什么关系。"

苏岚若有所悟,道:"难道这些恶魔……"

"没错。"玉琳神色凝重地点点头,"虽然不知道出于什么目的,但可以肯定他们是打算破坏'天道封魔'的封印,把那个怪物放出来。"忽然冷笑一声,"不过他们恐怕要失望了,因为破坏'天道封魔'必须要施法者的血,还要开启阵眼的'钥匙'。"

东方杰脸色一变,道:"恐怕这些他们已经都有了。"

玉琳一惊,难以置信道:"怎么可能?!"

东方杰没有回答,而是低声喝道:"明狐,你过来!"方明狐从黑暗中走出来,向玉琳和苏岚分别行礼。

东方杰道:"这是我的徒弟,曾经进裂魂谷探查过。"接着对方明狐道,"把你知道的事情说出来吧。"于是方明狐简明扼要地把他在裂魂谷里经历的事情说了一遍。

听完之后,玉琳的脸色很不好,喃喃道:"想不到……真是想不到!"抬头看看繁星点点的夜空,断然道:"我们没有多少时间了。他们要破解这个封印,必定是要选阴气最盛的子时施法——在这之前必须阻止他们! 所以……"他分别看了看苏岚和东方杰,"我希望你们能够合作。"

两人同时一愣,互相看了看对方,神色都有些古怪。

玉琳诚恳地说道："大敌当前，我希望你们能够放弃彼此的成见，现在团结一致，共抗外侮才是最重要的。"

东方杰皱着眉头，犹豫道："但是和妖怪合作……"

月炎撇撇嘴，道："妖怪又怎么了？好多人还不如妖怪呢！再说，你们的老前辈不是也和妖怪联手封印了那个恶魔？"

短暂的思索之后，东方杰微微颔首，向苏岚伸出手，沉声道："可以吗？"

苏岚微笑道："乐意之至。"两只手紧紧握在了一起。

玉琳满意地点点头，挥手道："那现在就杀进去，一定要阻止他们的法术！"

这次封岩镇的妖怪和蜀山派的道士们都派出了最好的人手来裂魂谷，刚开始两拨人马还有些生疏，经历了几场小规模的战斗之后，他们都渐渐放开了手脚，互相之间的配合也越来越熟练。妖怪们的优势在于强悍的身体和敏锐的本能，以及与生俱来的妖力和法术，但是在对付飞在空中的恶魔时就显得有些力不从心，道士们的飞剑正好弥补了这一缺点，而且他们的符咒也起了很重要的作用：招鬼、隐身、灵甲、风行、疗伤……各种符咒的光辉交相闪耀，令人眼花缭乱。

在裂魂谷里遇到的抵抗比他们预料中的要强得多，不过都是些头脑简单的低级恶魔，只会吼叫着冲上来，然后成为爪牙飞剑或者妖法道术的牺牲品。那些有爵位的高级恶魔一直没有出现，让人不禁怀疑他们是不是在酝酿着什么阴谋。

很快他们就冲到了峡谷深处。根据玉琳的记忆，"天道封魔"的封印就埋在这附近的地下。

月炎振翅飞起到空中，立刻发现了目标："在那里！那里有个向下的楼梯！"灵巧地避开三只有翼恶魔的轮番扑击，手中蓝色焰刀挥过，将其中一只斩成两截，同时姆斯比尼卷起两个火焰旋风，瞬间就将另外两只恶魔吞没了。在这种混乱的情况下，她身上的味道已经被淹没在浓重的血腥味里，当然也不会引起恶魔们的畏惧。

看看其他人被无数恶魔挡住前进的道路，月炎担心宁汝馨和龙飞的安危，喊了一声："我先下去！"接着收拢翅膀俯冲下去，挥刀砍掉一个挡路恶魔的脑袋，然后就势一翻，冲进了向下的楼梯口。

奇怪的是，楼梯下面并没有恶魔。上面的恶魔停在楼梯口向下张望，却畏畏缩缩地不敢将脚踏上台阶，似乎在害怕着什么。

　　月炎松了口气，正要顺着楼梯向下走去，就听到身后传来一阵嘈杂，接着玉琳的长枪卷着一蓬血雨冲进来，他本人紧随其后，然后苏岚和东方杰也各展身法冲了进来。他们都不放心月炎自己冒险，再加上外面大局已定，所以急忙追进来。

　　四人都没有说话，交换了一个眼色，然后顺着楼梯的台阶向下走去。

　　这段楼梯并不长，他们很快就走下了最后一级台阶，进入了一个狭长的通道。虽然是黑夜，而且是在地下，不过这里并不是一团漆黑——空中飘荡着无数鬼火，将周围的一切映照成一片惨淡的苍白。

　　通道转了一个弯，月炎觉得眼前豁然开朗，随即就被看到的景象惊呆了：在她眼前是一座祭坛，正中倒竖着一个高大的十字架，令人毛骨悚然的是，这个祭坛和十字架竟然都是用一根根白骨拼接成的！那些鬼火好像被这座白骨祭坛吸引，从四面八方汇集过来，钻进骨头之间的缝隙里，让整座祭坛散发着诡异的冷寂幽光，在周围无数火盆的光线照耀下显得更加恐怖。

　　其他人也都被这景象震惊得说不话来，直到听到一声短促的惨叫声，这才从震慑中回过神来，赫然看到白骨祭坛前面四周围着一圈恶魔，还有一个人斜着身子站在祭坛上的十字架下面，一手扶着十字架，另一只手抓住一个恶魔的脖子提起到半空。他的身上满是伤痕，好几处伤口都露出了骨头，鲜血不停地流出来，将脚下祭坛的白骨都染红了，即使这样，他的脸上还带着满不在乎的笑容。

　　月炎发出一声情不自禁的惊呼："龙飞！"

第十二章

往 生

月炎的惊呼声并不大,不过已经足够引起那些恶魔的注意。立刻有好几个恶魔回过头来,恶狠狠地盯着这些不请自来的闯入者,却始终没有进一步的行动,似乎在顾忌着什么。

龙飞也发现了月炎他们,眼中闪过一丝担忧的神色,随即对她点点头,笑道:"你们也来了?"随手将手中的恶魔扔了出去。那个恶魔在空中画了一条不规则的抛物线,重重地落在白骨祭坛下面,摔在地上一动不动,看起来就像是死了一样。

月炎这才注意到,在祭坛周围已经横七竖八地躺了不少恶魔的尸体。难道这些恶魔都是龙飞杀的?他在这里做什么?月炎一时间有些失神,只能愣愣地看着祭坛上的龙飞。

一个阴恻恻的声音传来:"你认识这些人?"说话的是一个长得像四条腿蜘蛛的恶魔,月炎记得他是叫弗德里克。他说的是汉语,好像似乎是特意让月炎他们能够听懂。

龙飞撇撇嘴,并没有否认:"难道要我给你们介绍一下?"

弗德里克可没有心情开玩笑,冷冷道:"也许我们杀你并不容易,不过他们……我想没什么问题。再说一遍,请你离开祭坛,否则……"他并没有说下去,而是轻轻挥了挥手,立刻有四五个恶魔凶神恶煞地向月炎他们这边走过来。这里的恶魔和月炎他们在裂魂谷里遇到的完全不同,每一个身上都散发着令人窒息的强大力量。

月炎心中闪过一个连自己都感到害怕的念头:"难道这里的都是有爵位的高级恶魔?!"一般来说,即使是在地狱,有资格拥有爵位的恶魔也是少之又少，而且各自雄踞一方，互相之间明争暗斗。这些强大的怪物会一同出现在这里，惟一的解释就是受到比他们更强大的力量驱使——难道真的是地狱之王，撒旦？

月炎正在胡思乱想，那几个恶魔已经走到十步开外，却不着急继续进逼，而是用一种猫看老鼠的眼神看着月炎他们，扭曲的嘴角带着阴冷的微笑。

玉琳握紧了长枪，东方杰手中长剑上的剑芒暴涨，苏岚身周的空间中隐约浮现出红色的线条。月炎手中的蓝色焰刀凝聚到了极点，感觉不到一点热度，发出如同宝石般璀璨的幽兰光辉，身边的姆斯比尼则化成一颗白炽的火球，即使在数米之外也能感到热浪逼人。

龙飞忽然满不在乎地笑道："你想用他们来威胁我？那可真是白费心机了。除了那个小姑娘，其他人的死活我才不会在乎！"

包括月炎在内，所有人都愣住了。龙飞这么说，不是摆明着让那些恶魔把矛头指向月炎吗？

弗德里克嘿嘿阴笑一声："你以为我不敢杀她？在这里的可不是那些低级的废物，她身上那点可怜的气味没什么作用！"

龙飞像看白痴一样怜悯地看着弗德里克，摇头道："不是'不敢'，而是'不能'。"

弗德里克哼了一声，用地狱通用语大声命令道："伦伯达尔伯爵，我允许你吃掉一条胳膊。"

月炎身前的那几个恶魔早就已经不耐烦了，听到弗德里克的命令，其中一个长得像巨大螳螂的恶魔发出一声欢呼，毫不犹豫地跳起来就向月炎飞扑过去。

月炎还没来得及反应，忽然蓝影闪过，只见一个硕大的龙头从她的左肩上伸出来，张开满是尖牙的巨口，一口将那个螳螂恶魔咬住。

龙飞笑了一声，道："哈，我允许你整个吃掉！"

龙头将那个恶魔嚼了几口，吞了下去，然后不满地嘟囔了一句："味道真差！"接着龙头迅速缩小，又变成了铠甲肩头的装饰。

所有人都被这一幕惊呆了，眼睁睁地看着月炎，说不出话来。良久，她身边的玉琳这才出声问道："这是什么法宝？"

肩上的龙头立刻出声抗议："才不是什么法宝，我是魔法！防御魔法！"

弗德里克这才从震惊中回过神来，回头看看祭坛上的龙飞，又看看身穿奇异铠甲的月炎，一时间拿不定主意。其他恶魔，即使是贵为公爵，也没有自信能避开刚才那迅疾如闪电的攻击，所以都不敢轻举妄动。

这时空气中传来奇异的波动，接着一个高瘦的身影凭空出现。

弗德里克松了口气，快步走到那人身边，鞠躬行礼道："达亚德大人，您来了！"其他恶魔也纷纷恭敬行礼。

这个人就是撒旦的右手，地狱的亲王，黑魔达亚德。

冷漠的眼神环视一圈，达亚德的声音里带着明显的不满："弗德里克，这些碍事的垃圾是怎么回事？"

弗德里克脸上满是惶恐，指着祭坛上的龙飞道："这个人不知道什么时候溜了进来，霸占了祭坛，不让我们靠近，而且还……"

"够了。"达亚德冷冷地打断他，看着龙飞，问道，"你是谁？想干什么？"

龙飞懒洋洋地笑道："猜！"

达亚德可没时间和心情与他开玩笑，这个黑暗的仪式必须立刻进行。正要动手，心中警兆忽起，随即错步让开，刚好躲过那枝飞来的长枪。落空的长枪劲道丝毫不减，带着雷霆般惊人的威势向祭坛上白骨十字架的基座射去。

心念急转，达亚德立刻意识到这次攻击的目标并不是自己，而是从一开始就瞄准了祭坛的核心——白骨逆十字架。他急忙伸手抓去，却只抓到了枪身带起的余温。

玉琳在这一枪里凝聚了自己全部的灵力，为的就是一举摧毁这个邪恶的祭坛。现在眼看那些恶魔已经不可能阻止这威力无比的一击，他的嘴角浮起了一丝胜利的微笑，眼前几乎已经出现了祭坛化为漫天碎片的情景。

恶魔惊慌失措的吼叫声中，一只手以连达亚德也难以分辨的速度伸过来，紧紧抓住长枪的枪尖，将它牢牢握在手里。长枪上蕴含的力量霸道至极，转瞬间就让那只手上暴开无数大大小小的伤口，立刻皮开肉绽，鲜血横流。

所有人类和恶魔都无法发出任何声音，目瞪口呆地看着这一切，心中的震惊很难用语言来形容。

玉琳发出一声怒吼："你干了什么！"

龙飞随手把长枪扔掉，淡淡道："我不会让这个仪式被破坏的。"他对玉琳说话，眼睛看的却是月炎，目光中带着一些难以捉摸的东西。

月炎并不知道龙飞为什么要这么做,但是龙飞的目光让她感到莫名其妙地安心,所以并没有说话,而是保持着沉默。

达亚德沉声道:"你到底是什么人?为什么要保护这个仪式?"他现在完全不知道这个人想干什么,不过对方帮他们保住了祭坛,所以达亚德的态度也客气了一点。

龙飞灿烂一笑,还是那个回答:"猜!"他的整条右臂一片血肉模糊,手上的皮肉更是几乎全烂了,露出森森白骨,可是他一点都不在乎,脸上依旧是一付玩世不恭的表情。

达亚德当然猜不透他想做什么,不过时间紧迫,已经不允许他再拖下去,稍一犹豫,他好像下定了决心,回头命令弗德里克:"准备开始!"

弗德里克有些犹豫,看着祭坛上的龙飞吞吞吐吐道:"但是,那个人还在那里……"

达亚德森然道:"你想违抗我的命令?"

弗德里克噤若寒蝉,喃喃道:"不,但是……"看到达亚德眼睛里逐渐旺盛的怒火,他急忙改口,"立刻就开始!"说完转身一溜烟地跑开了。

达亚德回过头,用审视的目光看着龙飞,忽然用汉语冷冷道:"我不管你是谁,也不管你想做什么,但是如果你想阻止这个仪式,我一定会……"

"好啦好啦!"龙飞不耐烦地挥着手打断他,说的却是地狱通用语,"快点开始吧,我已经快等烦了!"

达亚德虽然很好奇他在等什么,不过他知道就算问,回答肯定也是"猜"。现在时间紧迫,龙飞看来并不想破坏这个仪式的进行。等到仪式结束,无论他想干什么都没关系了——如果他能活下来的话……

弗德里克大声命令着那些地位比较低的恶魔贵族,指挥他们将一个个玻璃瓶从箱子里拿出来,摆到祭坛上,就放在白骨逆十字架周围。瓶子里盛的是些黏稠的黑色液体,好像有生命一样,沿着瓶壁缓缓流动。看那些恶魔小心翼翼的样子,这些东西对他们来说一定非常重要。与此同时,几个恶魔来到月炎他们附近,冰冷的眼神好像在警告他们,不要轻举妄动。

放下最后一个瓶子,弗德里克急忙转身跑下祭坛,好像在逃命一样。其他恶魔早已远远躲开,看着祭坛的眼睛里流露出混合着恐惧和尊敬的奇怪神情。

又看了龙飞一眼,达亚德一言不发地走下祭坛,然后面向祭坛高举双手,身上熊熊燃起黑色的火焰,开始用一种怪异的语言吟诵咒语。随着他的声音,躲在白骨缝隙里的鬼火骚动起来,如同层层水波一样的颤动着。

当达亚德吐出最后一个音节的时候,祭坛上的空间裂开了一道缝隙,一具漆黑的大理石石棺从里面缓缓飞出来,悬停在祭坛上方,散发着令人窒息的邪恶力量。

所有的人类和恶魔屏住呼吸,紧张地看着那具石棺,它的表面比黑夜还要深邃,隐约浮动着一层层扭曲不定的波纹,令人窒息的压迫感充满了整个空间。

压抑的静默中响起清脆的碎裂声,白骨逆十字架周围的玻璃瓶一个接一个地裂开,其中的黑色黏稠液体飞快地流进骨头之间的缝隙里,转眼之间就将整座十字架染成漆黑的颜色。

达亚德始终在紧张地注视着龙飞的一举一动,却没有发现他做什么事情,只是笑容已经不见了,脸色越来越凝重。

十字架上的黑色越来越深,原本藏身其中的鬼火好像被这黑色吞噬了一般,连半点光都没剩下,整个空间的光线仿佛也被十字架吞噬了,显得朦朦胧胧的。

随着"砰"的一声巨响,整座十字架轰然爆裂,变成了漫天的黑色粉尘,遮蔽了所有人的视线。这些黑尘在空中漂浮着,渐渐形成一个巨大的漩涡。漩涡的中心就是那具石棺,它好像正在将所有的黑色粉尘吸进去一样。包括达亚德在内,恶魔们都情不自禁的后退几步,好像生怕被这个漩涡卷进去一样。月炎他们离得比较远,所以没受到影响。

良久,石棺将空气中飘舞的黑尘全都吸了进去,一丝不剩。达亚德松了口气,他知道仪式已经顺利完成了。

月炎忽然大叫起来:"小宁! 小剑!"

听到她的叫声,其他人这才看到在空荡荡的祭坛上,龙飞手中抱着宁汝馨和东方剑,脸上带着疲惫的笑容。

达亚德大吃一惊,他根本不相信竟然有人能在这个仪式的核心中活下来。他正不知该做些什么,就听到空中的石棺里传来一声类似于叹息的声音,接着石棺裂开,逐渐分裂变成了六支黑色的羽翼。黑色羽翼向两边张开,露出一个年轻的男子,他看起来很英俊,不过面目阴冷,令人感觉很不舒服。

达亚德急忙走上一步,躬身道:"您卑微的仆人向您问候,撒旦大人!"其他恶魔早已跪在地下,在至高无上的王面前,他们甚至连抬头的资格也没有。

撒旦并没有理达亚德,反而目不转睛地盯着祭坛上的龙飞,忽然扇动翅膀,飞下来落到龙飞面前不远的地方,冷冷地看着对方,道:"是你。"

龙飞好像丝毫也感觉不到对方身上散发出来的强大力量,满不在乎地笑道:"被你认出来了?"说着弯下腰,轻轻把东方剑和宁汝馨放在地下。他手臂上的伤口开始迅速愈合,很快就已经恢复如初。

抬头看着撒旦,龙飞笑道:"看起来你这一觉睡得倒是挺舒服的,有没有做个好梦?"

撒旦的声音比万年玄冰还要冷:"如果睡在你的血里,也许会的。"

龙飞挠挠头:"哦,所以你现在想试试看?"

撒旦用利剑般的冰冷眼光看着对方,良久之后才说道:"不,不是今天。"说完转过身,张开翅膀飞起到半空,对达亚德说道:"走吧,回到属于我们的地方去!"随着他的声音,所有恶魔的身影都消失在空气中,连一点痕迹都没有留下。

"对了,还有一点小小的礼物,不成敬意。"随着嘲弄的声音,撒旦的身影也消失了。

月炎这才反应过来,向龙飞跑过去,同时大声喊道:"你没事吧? 小宁和小剑呢?"

龙飞大喝一声:"别过来!"

月炎愕然止步,不知道他想干什么。

龙飞向月炎挥了一下手,她身上的蓝色铠甲立刻剥落下来,化作一条晶莹剔透的蓝色巨龙,振翅飞过去落到祭坛上。

龙飞把宁汝馨和东方剑抓起来扔在龙背上,接着用一种奇异的语言说了句什么。巨龙点点头,飞起来冲到月炎身前伸出前抓将她抓起来放在背上,然后又过去将其他人也抓起来,这才猛地振翅,从出口穿了出去。

月炎使劲拍打着龙背,大声问道:"你想干什么?!"却没有得到回答。

外面的恶魔也随着撒旦消失了,失去了对手的妖怪和道士们面面相觑,都有些不知所措。当他们看到这条蓝色巨龙飞出来的时候,理所当然地认为它是那些恶魔一伙的首领,直到看到自己的领袖从龙背上下来,这才莫名其妙地把手中的武器放下。

月炎刚从龙背上跳下来,就听到"轰"的一声闷响。地动山摇中,一大片地面凹陷下去。

月炎一下子愣住了,抓住那条龙的翅膀大声喊道:"蓝月,快去救龙飞!他还在下面!"

蓝月并没有动,而是幽幽地说道:"他让你不用担心。"

月炎快急疯了,声音有些发哑:"他到底想干什么!"

"老大封住了撒旦留下的毁灭魔法,否则这座山和我们都要化为灰烬……"蓝月的声音越来越低,身体渐渐缩小成一团蓝色光球,然后分裂成无数光点,消失在月炎身体周围。

月炎呆在原地,喃喃道:"老大……他说老大?"忽然想起来,"小宁!小剑!你们没事吧?!"

尾 声

结 束

　　会议室里的光线有些暗，月炎坐在中间，看不清周围那些人的脸。不过她很清楚，这些人都是世界各地妖魔猎人协会的首脑人物。他们已经讨论了很久，现在叫自己来只是宣布结论而已。

　　"虽然还有很多事情没搞清楚，不过如果这件事泄露出去的话，整个世界的平衡恐怕都会受到影响……"一个苍老的声音说道，"所以我们希望你能保持沉默。"顿了顿，他又补充了一句，"当然，其他人也是这样。东方剑已经被蜀山派接回去，而且他们也答应守口如瓶，至于那只丧失记忆的妖狐，我希望你能够负责。"

　　对这个结果，月炎并不太意外，道："我知道了。没有其他事的话，我要去医院了。"说完也不管其他人惊讶的目光，站起来转身走出门去。

　　幽静的病房里，女子看着窗外，美丽绝伦的脸庞显得非常平静。

　　敲门声传来，接着月炎推门走了进来，手中捧着一束鲜花。

　　"宁汝馨姐姐，我又来了。"

　　宁汝馨的视线从窗外收回来，露出一个淡淡的微笑，道："啊，又麻烦你了，小妹妹。"

　　月炎一边熟练地换掉花瓶里凋谢的花，一边问道："有没有想起什么来？"

　　宁汝馨轻轻叹了口气，摇头道："还是没有。"

　　月炎安慰道："没关系，早晚会想起来的。"

　　宁汝馨笑了笑，没有说话。忽然问道："你知道一个叫非龙·德拉格的人吗？"

月炎停下来看着她，莫名其妙道："不认识……这是你回想起来的？他是什么人？"

"我也不知道。"宁汝馨的目光有些迷离，"我把一切都忘记了，甚至连我的名字都是你告诉我的，可是不知道为什么，这个名字总是出现在我的心里，好像对我非常重要……"

月炎歪着头想了想，道："我没听说过这个人啊，不过听名字好像是个外国人吧！"

宁汝馨轻声道："外国人……吗？"

"是啊。"月炎点点头，"对了，最近听说星光女子学院要派学生去巴黎留学，作为教学交流，你想不想去？"

"我？"宁汝馨有些奇怪，"我又不是那里的学生。"

"你是啊，只不过忘记了而已。"

"哦？"宁汝馨皱起眉头，似乎正在努力回想着。

"去吧，换个环境说不定会比较容易恢复记忆呢。"月炎鼓动着，"说不定在那里就能碰到你说的那个非龙什么的哦！"

"那……"宁汝馨缓缓点点头，"如果可能的话……我愿意。"

"那就行了！"月炎很高兴，随即神色变得有些黯然，"你们都走了，谁帮我赚钱啊！"

图书在版编目（CIP）数据

降魔舞.3，恶魔往生/光牙著.–北京：作家出版社，2006.1

（奇幻四公子）

ISBN 7 – 5063 – 3459 – 3

Ⅰ.降… Ⅱ.光… Ⅲ.长篇小说 – 中国 – 当代

Ⅳ.I247.5

中国版本图书馆 CIP 数据核字（2005）第 114742 号

降魔舞Ⅲ:恶魔往生

作者：光　牙

责任编辑：启　天

特约编辑：赵　平

装帧设计：天行文化

出版发行：作家出版社

社址：北京农展馆南里 10 号　　邮码：100026

电话传真：86 – 10 – 65930756（出版发行部）

　　　　　86 – 10 – 65004079（总编室）

　　　　　86 – 10 – 65389299（邮购部）

E – mail：wrtspub@public.bta.net.cn

http://www.zuojiachubanshe.com

印刷：紫恒印装有限公司

开本：640×960　1/16

字数：200 千

印张：12.75　　　　　　插页：5

印数：001 – 15000

版次：2006 年 1 月第 1 版

印次：2006 年 1 月第 1 次印刷

ISBN 7 – 5063 – 3459 – 3

定价：16.00 元